홀로 서서 길게 통곡하니

유학과 경전에 익숙한 지엄한 선비들이 아닌

한 인간으로서 맨얼굴을 한 선비들의 속마음을 읽다!

소리 없는 통곡, 선비들의 눈물

# 홀로 서서 길게 통곡하니

신정일

루아앤휴잇

# 소리 없는 통곡, 선비들의 곡진하고 절절한 문장과 마주하다

가족이 죽어 슬픔을 묘사하는 말에는 대부분 아픔을 의미하는 '통痛'이 붙는다. 아버지를 잃은 슬픔은 하늘이 무너지는 고통과 같다는 뜻의 '천붕지통天崩之痛', 남편을 여읜 아내의 아픔은 성城이 무너져 내리는 듯한 고통이라는 '붕성지통崩城之痛'이 그 예이다. '서하지통西河之痛' 역시 아들 잃은 부모의 고통을 전할 때 쓰인다. 서하西河라는 지방에 살던 공자의 제자 자하子夏가 아들이 죽자 너무 상심하여 눈이 멀었다는 데서 유래한 말이다.

흔히 자식을 잃은 부모의 슬픔은 창자가 끊어지는 아픔, 즉 '단장지애斷腸之哀'라고 하니 그 통증은 짐작도 불가능하다. 소설가 박완서는 외아들을 갑자기 잃고 난 후 부모의 슬픔을 기록한 글 '한마디만 하소서'에서 그 고통을 '참척慘慽'이라고 표현했다. 참척의 사전적 의미는 자손이 부모나 조부모보다 먼저 죽는 일을 뜻하지만 너무나 처절하고 참담해 가늠조차 안 되는 슬픔을 나타날 때 쓰인다.

자식을 잃은 비통은 아버지라고 다를 리 없다. 조선 후기의 대학자 다산 다산茶山 정약용丁若鏞은 6남 3녀의 자녀를 낳았지만 그 중 6명을 잃어야 했다. 조선시대에 이 정도의 비극은 흔했다. 하지만 비통한 가슴을 달래가 며 죽은 자식들의 묘지명을 일일이 지은 다산의 부정父情은 뭐라 표현해 야 할까.

다산은 유배지인 강진에서 네 살짜리 막내아들 농아農兒가 죽었다는 소식을 전해 듣고 피를 토하는 듯한 심정으로 한 장의 편지를 쓴다. 여기에 는 지엄하고, 체면을 중시했던 선비가 아닌 아픈 자식에게 아무것도 해줄 수 없었던 아버지로서의 애절함과 비통함이 가득 담겨 있다.

우리 농아가 죽었다니, 비참하구나. 가련한 아이… 내 몸이 점점 쇠약해 지고 있을 때 이런 일까지 닥치다니, 정말 마음을 크게 먹을 수가 없구나. 너 희들 아래로 무려 사내 네 명과 계집아이 하나를 잃었다. 그 중 하나는 낳은 지 열흘 남짓한 때 죽어서 그 얼굴조차 기억하지 못하겠고, 나머지 네 아이 는 모두 세 살 때여서 품에 안겨 한참 재롱을 피우다 죽었다. 이 세 아이는 나 와 네 어머니가 함께 있을 때 죽었기에 딴은 운명이라 생각해버릴 수 있어 이번처럼 간장을 후벼 파는 슬픔이 북받치지는 않았다.

1802년 막내아들 농아가 죽었다는 소식을 듣고 두 아들에게 보낸 편지 〈답양아答兩兒〉의 첫 부분으로, 자식을 먼저 보낸 아버지의 소리 없는 통곡 이 구구절절이 배어 있다.

이렇듯 생사고락의 이치를 조금은 깨달았다는 대학자 다산에게도 자식을 잃은 슬픔은 무엇과도 견줄 수 없는 큰 아픔이었다.

조선 후기 유학자로 겸재謙齋 정선鄭敾, 공재恭齋 윤두서尹斗緖 등과 교유하며 평론가로 이름을 날린 이하곤李夏坤이 딸 봉혜를 기리며 쓴 〈곡봉혜문哭鳳惠文〉 역시 마찬가지이다.

그는 갑작스런 딸의 죽음 앞에 "심장이 찔리고 뼈가 깎이는 참혹한 고통이다. 아아, 애통하다! 아아, 원통하다!"라며 통절한 표현을 써가며 흐느껴 울었다.


아, 슬프다. 아아, 가슴이 찢어지는구나.

나는 네가 떠난 뒤로 흙덩이처럼 방 안에 앉아 하루 종일 멍하니 벽만 바라보고 있단다. 앉아서는 무슨 일을 해야 할지 모르겠고, 나가서는 어디로 가야할지 모르겠구나. 혹은 책을 펼쳐놓고 한숨을 내쉬고, 혹은 밥상을 앞에 놓고 탄식하며, 혹은 그림자를 보며 중얼거리기도 한단다. 산을 보아도 네가 떠오르고, 물가에 가도 네가 떠오르며, 평대의 솔바람 소리를 들어도 네가 떠오르고, 달밤에 작은 배를 보아도 네가 떠오르니, 언제 어디서나 모두 네 생각뿐이로구나. 하지만 너의 자취는 이미 연기처럼 먼지가 되어 사라졌으니, 찾아도 보이지 않고 구해도 얻을 수가 없구나.


이렇듯 사랑하는 자식을 죽음으로 잃어버리는 고통은 말로는 도저히 형용할 수 없다. 그 죽음이 예기치 않은 갑작스러운 죽음일 때는 더더욱 그렇다. 전혀 손쓸 수 없는 상황은 상실에 대한 슬픔을 배가시키기 때문이다. 그것은 풍파와 속진俗塵을 더불어 헤쳐 왔던 조강지처나 형제자매, 동문수학했던 벗들의 죽음 앞에서도 마찬가지였다. 그들은 슬픈 가슴을 부여잡고 소리 없이 통곡했다.

사랑하는 자식과 아내, 가족, 벗, 스승의 죽음 앞에 미어진 가슴을 부여잡고 소리 없이 울었던 조선 선비들의 절절하고 곡진한 문장 44편을 담았다.

선비들은 슬픔을 좀체 겉으로 드러내는 법이 없었다. 자식을 잃어도, 아내를 잃어도, 지기知己를 잃어도 슬픔을 애써 삭이며 마음속으로만 울어야 하는 절제를 미덕으로 삼았기 때문이다. 하지만 가슴속에 똬리를 튼 애통함은 어찌할까. 이에 지엄하고 체면을 중시했던 선비들이 아닌 따뜻한 마음을 지닌 아버지이자 한 인간으로 돌아가 자식과 아내, 가족, 벗의 죽음을 통곡했던 선비들의 글을 모았다.

귀양지에서 막내아들의 죽음을 전해 듣고 피를 토하는 듯한 심정으로 쓴 정약용의 추도문, 자신의 묘지명을 직접 써달라고 했던 딸의 부탁을 들어주지 못하다가 딸의 1주기에 맞춰 애끓는 심사를 적은 신대우의 제문, 눈에 넣어도 아프지 않은 여섯 살 딸아이의 죽음은 모두 자신의 잘못이라며 단장斷腸의 아픔을 가감 없이 드러낸 이하곤의 글, 아들의 얼굴과 목소리를 더 이상 볼 수도 들을 수도 없음에 눈물이 끝도 없이 흐른다며 아들의 죽음을 통곡했던 조위한의 글 등이 바로 그것이다. 이를 통해 유학과 경전에 익숙한 지엄한 선비가 아닌 한 인간으로서 맨얼굴을 한 선비들의 감춰졌던 속마음과 마주할 수 있을 것이다.

## 2장 고분지통鼓盆之痛 _ 아내여, 아내여

# 3장 할반지통割半之痛 _ 형제자매의 죽음을 곡하며

# 4장 백아절현伯牙絶絃 _ 벗과 스승을 잃고

# 참척慘慽_ 어린 자식을 먼저 보내고

참척慘慽_ '참혹한 슬픔'을 말하는 것으로, 자식이 부모보다 먼저 죽는 것을 뜻한다. 대척大慽이라고도 하는데 역시 큰 슬픔이란 뜻이다. 같은 표현으로 공자의 제자 자하子夏가 서하西河에 있을 때 자식을 잃고 너무 슬퍼 운 나머지 소경(선천적이거나 후천적인 요인으로 시각에 이상이 생겨 앞을 보지 못하는 사람)이 된 고사에서 나온 '서하지통西河之痛'이란 말이 있다. 아들을 잃은 슬픔을 말할 때는 '상명지통喪明之痛'이란 말을 쓰기도 한다.

네 얼굴이 잊히지 않아 눈물이 마르지 않는구나
**정약용 _ 막내아들 농아를 위한 추도문農兒墉志**

아비와 딸의 지극한 정이 여기서 그친단 말이냐
**신대우 _ 둘째 딸의 1주기를 맞아祭亡女文**

나를 버리고 어디로 가서 돌아오지 않느냐
**임윤지당 _ 아들 재준의 죽음을 슬퍼하며祭亡兒在竣文**

바람은 요란하게 문풍지를 흔드는데
**이하곤 _ 맏딸 봉혜의 무덤을 다시 찾으며哭鳳惠文**

눈물은 수저에 흘러내리고
**윤선도 _ 막둥이의 죽음을 슬퍼하며悼尾兒**

안개처럼 사라져버리다니
**조  익 _ 딸의 장사를 지내며祭女文**

이제 볼 수도 들을 수도 없구나
**조위한 _ 아들 의의 죽음을 통곡하며祭亡子倚文**

나 죽거든 너와 한 기슭에 누우련다
**이산해 _ 아들을 곡하다哭子**

말보다 눈물이 앞서니
**정  철 _ 딸의 죽음을 전해 듣고祭亡女崔家婦文**

팔공산 동쪽에 아이를 묻고
**양희지 _ 어린 아들 영대를 묻고瘞兒壙記**

봄바람에 떨군 눈물 적삼에 가득하네
**강희맹 _ 아들 인손의 죽음을 애도하며悼子篇**

세상은 내게 너무도 무심하구나.

아아, 슬프다. 너의 얼굴이 잊히지 않아 눈물이 마르지 않는구나.

# 네 얼굴이 잊히지 않아 눈물이 마르지 않는구나

정약용 | 막내아들 농아農兒를 위한 추도문農兒壙志*

*壙志 – 무덤 속에 넣어 주던 간단한 일대기

18년이라는 긴 유배형을 산 다산茶山 정약용丁若鏞의 삶은 한마디로 기구하기 그지없었다. 훗날 스스로 폐족廢族임을 자처했던 그는 집안을 돌볼 수 없는 스스로에 대한 원망과 답답한 현실에 대한 고민, 시대의 아픔을 온 몸으로 느껴야 했다.

가슴 찡한 그의 가족사 역시 마찬가지이다. 천주교를 신봉했던 셋째 형 약종若鍾은 사형에 처해졌으며, 함께 귀양길에 나섰던 둘째 형 약전若銓은 유배지에서 생을 마쳤다. 그것으로 끝나지 않았다. 자식 여섯을 천연두와 홍역 인해 먼저 떠나보내는 참척慘慽의 아픔을 속으로 삭여야 했다.

유배지 강진에서 두 해를 보고 있을 즈음, 다산은 네 살짜리 막내아들 농아農兒가 죽었다는 소식을 전해 듣고 피를 토하는 듯한 심정으로 농아를 위한 추도문을 쓴다. 먼저 가버린 어린 자식에게 아무것도 해줄 수 없었던 아비의 애절함과 슬픔이 절절히 묻어나는 글을 읽노라면 누구라도 그 안타까움과 서러움에 눈물을 흘리지 않는 사람이 없을 정도이다.

네가 태어날 즈음 나는 깊은 근심에 사로잡혀 있었다. 당시 우리 집안에 수많은 화禍가 미쳐 있었기 때문이다. 그래서 너의 이름을 농農이라고 했다. 너를 살게끔 하는 일은 농사밖에 없었다. 그렇게라도 하는 것이 죽는 것보다 낫기 때문이다. 만일 내가 죽는다면, 혼연히 황령黃嶺을 넘어 한강을 건너 고향으로 갈 수 있을 것이다. 그러니 어떻게 보면 죽는 것이 사는 것보다 낫다. 헌데 나는 살아 있고, 너는 죽어버렸으니, 나의 능력으로는 어떻게 할 수 있는 일이 아니었나보다.

내가 네 곁에 있었다고 하더라도 꼭 살 수 있었던 것은 아닐 것이다. 하지만 네 어머니가 보낸 편지를 보면 너는 이렇게 물었다고 했다.

"아버지가 내게 돌아와 주셔도 발진이 나고, 아버지가 돌아와 주셔도 마마가 걸릴까요?"

네가 뭘 헤아리는 바가 있어서 그런 말을 했겠느냐마는, 아마 내가 네 곁으로 돌아가면 의지라도 될 것 같아 그런 말을 했을 것 같구나. 그러니 너의 소원을 이루지 못한 게 참으로 서럽기 그지없다.

신유년(1801년, 순조 1년) 겨울, 과천 주막에서 네 어머니가 너를 안고 이별할 때 네 어머니가 나를 가리키면서 "저기 네 아버지다"라고 하니, 너도 나를 가리키며 "저기 우리 아버지다"라고 했다. 아버지가 어떻게 해서 아버지라는 것도 알지 못하면서 말이다. 참으로 슬픈 일이었다.

한 번은 이웃 사람 편에 소라껍데기 두 개를 네게 전해주게 했다. 그 후 너는 강진에서 사람이 올 때마다 소라껍데기를 찾았고, 찾다 못 찾으면 몹시 섭섭해 했다고 네 어머니가 편지에서 전했다. 그런데 네가 죽고 나서야 소라껍데기를 다시 보내게 되니 슬프기 그지없구나. 너의 얼굴은 빼어나서 깎은 듯 했고 코의 왼쪽에 조그마한 점이 있었다. 또 웃을 때는 양쪽 송곳니가 유난히도 톡 튀어나오곤 했지.

아아, 슬프다. 네 얼굴이 잊히지 않아 눈물이 마르지 않는구나.

―《여유당전서與猶堂全書》


다산의 막내아들 농아는 기미년(1799년) 12월 초이튿날 태어나 임술년(1802년) 11월 30일에 죽었다. 겨우 3년 남짓 산 셈이다. 그러니 다산이 막내아들과 함께 산 것은 채 일 년도 되지 않았다. 그런 아들이 죽었으니 그 마음이 오죽 했을까. 유배를 떠나던 날 어미 품에 안겨 "저기 우리 아버지다"라는 아이의 말을 들었을 때 다산의 가슴은 한 귀퉁이가 무너지는 듯 했으리라. 아들이 그토록 기다리던 소라껍데기를 그가 죽은 뒤에야 보낼 수밖에 없었던 심정은 또 어땠을까.

다산은 남양 홍씨와 결혼 후 19년 동안 아홉 명(6남 3녀)의 아이를 낳았지만 큰 아들 학연學淵과 둘째 아들 학유學游, 그리고 이름이 알려지지 않은 딸 한 명 외에는 모두 요절하고 말았다. 하지만 유배지에 몸이 묶인 다산이 할 수 있는 일이라곤 그 죽음을 불쌍히 여기는 것 밖에 없었다. 이에 다산은 두 아들 학연과 학유에게 슬픔과 그리움이 가득 담긴 편지를 여러 차례 보낸 바 있다.

천 리 길 귀양지에서 자식이 죽었다는 소식을 접한 다산은 피를 토하는
슬픔을 다음과 같이 적고 있다.

삼동이 다음 아이는 이름도 짓지 못했고, 구장이와 효순이는 두 척斗尺 산
등성이에다 묻었으며, 삼동이와 그 다음 아이는 두 척 산발치에 묻었다.

오호라, 내가 하늘에서 죄를 얻어 이처럼 잔혹한 일이 벌어지니 이를 어찌
할거나.

우리 농아가 죽었다니, 비참하구나. 가련한 아이… 내 몸이 점점 쇠약해
지고 있을 때 이런 일까지 닥치다니, 정말 마음을 크게 먹을 수가 없구나. 너
희들 아래로 무려 사내 네 명과 계집아이 하나를 잃었다. 그 중 하나는 낳은
지 열흘 남짓한 때 죽어서 그 얼굴조차 기억하지 못하겠고, 나머지 네 아이
는 모두 세 살 때여서 품에 안겨 한참 재롱을 피우다 죽었다. 이 세 아이는 나
와 네 어머니가 함께 있을 때 죽었기에 따은 운명이라 생각해버릴 수 있어
이번처럼 간장을 후벼 파는 슬픔이 북받치지는 않았다. 하지만 농아의 죽
음은 다르구나. 내가 이렇듯 먼 바닷가 변두리에 앉아 있어 그 아이를 못 본
지가 무척 오래인데 죽고 말다니. 한결 더 서럽고 슬프구나.

생사고락의 이치를 조금은 깨달았다는 나의 애달픔이 이러할진대, 하물
며 네 어머니야 어찌겠느냐. 뱃속에서 직접 기르고 낳은 애를 흙구덩이 속에
집어넣었으니, 그 애가 살았을 때 어리광부리던 말 한 마디, 귀엽던 행동 하
나하나가 기특하고 어여쁘게만 생각되어 귓가에 쟁쟁하고 눈앞에 삼삼할

것이다. 더구나 여자들이란 정이 많아 이성에 의지하지 못하는 것이 십상인데, 얼마나 애통하겠느냐.

내가 여기 있는 동안 너희들은 이미 어른이 되었다. 그러니 생명만 붙어 있는 이 아비가 무척 밉기도 할 것이다. 아마 내가 너희들이라고 해도 아버지는 잊은 채 어머니의 슬픔과 아픔만을 생각할 것 같구나. 아무쪼록 너희들은 마음과 뜻을 바쳐 어머니를 섬기고 오래 사시도록 극진히 모시도록 해라. 차후에 두 며느리로 하여금 아침저녁으로 부엌에 들어가 음식을 맛있게 해드리고, 방이 차고 따뜻한지 잘 보살피며, 한시라도 시어머니 곁을 떠나지 않게 할 것이며, 고운 얼굴 부드러운 낯빛으로 매사를 기쁘게 해드려야 한다.

– 《여유당전서》〈답양아答兩兒〉


당시 '겨우 목숨만 붙어 있던' 다산이 할 수 있는 일이라곤 상처받고 맺힌 한을 삭이고 삭이며 두 아들에게 편지를 보내 위로하는 길 밖에 없었을 것이다. 이에 다산은 두 아들에게 홀로 남은 어머니에게 효도하는 것이야말로 집안이 화평한 길이며, 그러다보면 자신 역시 임금의 은혜를 입어 언젠가는 집으로 다시 돌아갈 수 있을 것이라고 하였다. 하지만 그가 집으로 돌아간 것은 그 후로도 아주 오랜 세월이 지난 뒤였다.

'생사고락의 이치를 조금은 깨달았다'는 대학자 다산에도 사식을 잃은 슬픔은 무엇과도 견줄 수 없는 큰 아픔이었다. 그럴진대 우리와 같은 필부필부匹夫匹婦들에게 있어 그 고통은 오죽하랴.

아아, 이게 무슨 운명이란 말이냐.

스무 해를 아비가 되고 딸이 되었던 지극한 정이 여기서 그친단 말이냐.

# 아비와 딸의 지극한 정이 여기서 그친단 말이냐

신대우 | 둘째 딸의 1주기를 맞아 祭亡女文

조선 후기의 문신인 완구宛丘 신대우申大羽는 의영고판관義盈庫判官 신성申晟의 아들로 정조正祖로부터 학문과 덕행의 훌륭함을 인정받아 원자궁元子宮의 요속寮屬(윗사람을 돕는 관리)으로 발탁되어 동궁東宮(훗날의 순조)을 보필하였다. 그러다가 순조純祖 즉위 후 우부승지에 제수되었으며 열세 번이나 승지에 임명되었다.

1789년 3월 차녀 정유인鄭孺人을 잃은 신대우는 애절하고 비통한 마음을 〈제망녀문祭亡女文〉에 담았다. 그의 딸은 스무 살이라는 젊은 나이에 자식 없이 죽었는데 죽기 전에 아버지에게 자신의 묘지명을 직접 써달라고 부탁했다고 한다. 하지만 찢어지는 아픔에 차마 그 부탁을 들어주지 못하다가 이듬해 3월 딸의 1주기에 맞춰 다음과 같은 제문을 지었다. 마치 살아 있는 딸에게 속삭이기라도 하듯 쓴 제문은 부녀의 인연이 얼마나 깊고 지극했는지 새삼 깨닫게 한다.

　아아, 슬프다. 너는 평소 건강해서 아무 병이 없었다. 더욱이 지난해 임신
증세가 있었기에 모두가 기뻐했다. 하지만 너는 병이라 여기고 의사를 불러
고쳐 달라고 청했다. 서너 차례나 계속 그래서 "무슨 말도 안 되는 소리냐"고
꾸짖었지만, 너는 기어이 의사를 불러달라고 하였다. 본래 임신은 흔한 조짐
이라서 크게 신경을 쓰지 않는데, 너는 임신이 아닌 것을 어찌 알고 치료를
청했는지 모르겠구나.

　8월에 이르자 증세가 더욱 심해졌다. 그래서 어쩌면 임신이 아닐지도 모
르겠다고 여겨 마침내 의원을 불렀다. 진맥을 마친 의원이 "확실하지 않으니
서너 달쯤 지켜보자"고 하자 너는 "의원이 잘못 알고 있다"고 했지. 네가 굳이
의원이 잘못 알고 있는 것이라고 말한 것은 대체 무슨 까닭이었느냐. 그로부
터 서너 달 후에야 네가 임신이 아닌 다른 병이라는 사실을 알게 되었다. 그
러나 그때는 이미 병이 몸 속 깊이 뿌리 내린 뒤였다.

　아아, 슬프다. 이것이 무슨 운명이란 말이냐. 이미 고인이 된 네가 나를 일
컬어 어리석다고 한들 내가 무슨 말을 할 수 있으랴. 내가 연초에 남쪽으로
가게 되자, 차마 아픈 너와 이별하기가 안타까워 나갔다가 다시 들어가 네
얼굴과 등을 쓰다듬은 후에 떠났다. 그렇게도 너를 끔찍이 생각했기에 네가
그토록 쉽게 세상을 하직하리라고는 미처 생각지 못했다.

　남쪽으로 내려간 뒤에는 네가 하루도 꿈속에 나타나지 않은 적이 없었으
니 무슨 연유가 있었더냐. 그런데 요즘에는 꿈에라도 네가 나타나길 바라지

만 나타나지 않으니 이 또한 무슨 연유란 말이더냐.

나는 질병이 그토록 깊어서 능히 살아난 사람을 본 적이 없다. 그러나 정이 깊어 그 정에 가리면 마음의 눈이 변하기 쉬운 법인가 보다. 그래서 "너는 아직 나이가 어려 상을 당할 사람이 아니다"라고 하였다. 그런데 얼마 안 되어 네가 죽었다는 소식이 당도했다. 그날 정오였다.

아아, 슬프다. 이것이 운명이란 말이냐, 아니란 말이냐. 너는 다른 사람들보다 뛰어난 행실이 없었다. 나 역시 평상시에 너를 가르치지 못했다. 또한 한 번도 자식들과 마주앉아 저마다의 장점을 칭찬해준 적이 없다. 그랬던 내가 오늘 일어난 일은 마치 내 곁에 살아 앉아 있는 너에게 말하는 것과 같구나. 나는 네게 내가 품었던 의문을 물어서 풀어주었으면 하는 마음이다.

두터운 정의情誼는 차마 글로 쓸 수 없고, 아프고 쓸쓸한 말은 혹시라도 너의 마음을 근심케 할까 두렵다. 너의 사적과 행실 중에서 한두 가지 기록해 둘 만한 것은 반드시 글로 써서 토광土壙 남쪽에 묻을 것이다.

아아, 스무 해를 아비가 되고 딸이 되었던 지극한 정이 여기서 그친단 말이냐. 슬프고 또 슬프다. 상향.

―《완구유집宛丘遺集》권10


스무 해 동안 아비가 되고 딸이 되었던 지극한 정이 여기서 그친다니. 이 얼마나 슬픈 일인가. 딸은 가고 없으며, 아비는 혼자 남아 형체도 없이 사라진 딸을 마냥 그리워하고 있다. 이보다 더 가슴 저리고 슬픈 사랑이 또 어디 있으랴.

세월이 약이라 하더라만

지금 나의 뼈아픈 슬픔은 갈수록 더욱 심하여

이생에서 이런 슬픔은 다시 또 없을 것이다.

# 나를 버리고 어디로 가서 돌아오지 않느냐

임윤지당 | 아들 재준在竣의 죽음을 슬퍼하며 祭亡兒在竣文

임윤지당任允摯堂은 열아홉에 그보다 한 살 아래인 신광유申光裕에게 시
집을 갔다. 하지만 8년 후 남편은 자식 하나 남기지 않고 갑자기 세상을 떠
나고 말았다. 그때부터 그녀는 가사를 도맡으며 낮에는 부녀자의 일에 진력
하고, 밤이 깊어서는 목소리를 낮춰 책을 읽었다. 어릴 때부터 차분하고 총
명했던 그녀는 특히 성리학性理學에 몰두하였는데, 가족 대부분이 그녀의
학문적 성취를 알지 못했을 정도였다. 그러나 남몰래 쌓은 경전에 대한 깊은
조예와 성리학에 대한 이해는 당대 대학자들과 견주어도 손색이 없을 정도
였다.

키가 작고 아담한 풍채를 지녔지만 그녀의 거동은 태산 같은 위엄이 있
었다. 이에 선릉참봉을 지낸 시숙부 신저申著는 그녀에 대해 이렇게 말한
바 있다.

"나이도 어리고 체구도 작은데 처신하는 것을 보면 그 의젓함이 태산교
악泰山喬岳과도 같다."

다음 글은 양자養子 신재준申在竣의 갑작스런 죽음에 슬픈 심사를 적은
것으로 삼년상이 끝나가던 1789년에 지어 삭망제朔望祭(삼년상의 기간 중 매
월 초하루와 보름에 지내는 제사)에 올린 것이다. 원제는 〈제망아재준문祭亡兒在
竣文〉이다.

신재준은 시동생인 신광우의 큰아들로 어린 시절 신광유에게 입양되어
윤지당의 손에서 자랐다. 하지만 그 후 신광유가 일찍 죽자 두 사람은 서로
를 믿고 의지하며 살았다. 그래서일까. 모자의 정 또한 매우 각별하였다.


네가 나를 버리고 어디로 가서 한 해가 되도록 돌아오지 않느냐. 내 나이
마흔이 넘어 비로소 너를 아들로 삼았으나, 네가 처음 나면서부터 너를 안
아 길러, 네가 일찍이 나를 어버이로 생각하지 않은 일이 없었고, 나 또한 너
를 자식처럼 생각하지 않은 적이 없었다. 네가 젖을 떼면서 내 손에서 먹고,
나와 함께 잤다. 네가 가지고 놀던 노리개 등속이 아직도 모두 내게 남아 있
다. 네가 놀던 방도 반드시 내가 거처하는 방이 아니었더냐. 나는 홀어머니
의 몸으로 너를 믿고 살아왔다. 네가 성장해서 아내를 맞고 자녀를 두게 되
어 내 마음과 눈을 위로하고 기쁘게 하였으며, 너 또한 나를 지성으로 효도
하며 섬겼다. 평소에 내 뜻을 먼저 알려고 하는 내 마음을 받들어 주어 나 또
한 마음속으로 많은 위로가 되었구나.

죽기 얼마 전 너의 학업이 더욱 성취되어 가고 기운도 더욱 충실해지는 것

을 보고, 다시 슬하에 아이들이 차례차례 장성해서 우리 집안이 크게 번성한다고 일가와 가문이 밤낮으로 축복하였다. 진실로 이것이 내게는 한도를 넘어 너무 지나친 과분한 일이 아닌가 생각하였다. 그런데 네가 이처럼 하루 아침에 죽으니, 내가 원해오던 것이 다 수포로 돌아가고 말았구나. 흰머리 외롭고 쓸쓸한 몸이 의지할 곳이 없게 되었으니 이 무슨 일이냐.

심하도다, 나의 우둔함이여. 내 전에 너를 애지중지하였던 마음으로 너를 앞세우고 보니 마땅히 경각이라도 지탱해서 살고 싶은 까닭이 없다. 내 이제 너를 잃고 외로이 세상에 살아남아 있는 것이 오래 되었다. 둔하고 어두워서 시장기가 있으면 먹고, 곤하면 자는 것이 다른 사람과 다를 바 없고, 혈기가 쇠퇴하고 정신이 닳아 없어져 참으로 무엇이 슬픈지조차 알 수 없게 되었구나. 이 모두가 인력으로 어찌할 수 없는 것인 바에야 하늘에 부쳐 오직 그 명을 스스로 다했다고 밖에 볼 수 없지만, 믿기지 않는구나.

통곡하고, 통곡하노라. 너의 어질고 효성스러운 성품과 화락和樂한 용모와 기상, 단아한 행실과 문장, 지식의 정통함, 지조의 단결함을 어찌 하늘에 허물을 돌릴 것이냐. 이 모진 목숨이 마땅히 먼저 죽었어야 할 터인데 구차히 살아남아 있어 아래위로 노여움을 받았는데, 너마저 귀신에게 빼앗기니 내 궁하고 다한 신세 더할 나위 없구나. 사람들은 세월이 약이라 하더라만 지금 나의 뼈아픈 슬픔은 갈수록 더욱 심하여 이생에서 이런 슬픔은 다시 또 없을 것이다.

슬프고, 슬프다. 사람에 있어 이 무슨 일인가. 인생은 참으로 순식간이라 하지만 하물며 나는 늙어 병든 몸으로 빈사의 지경에 있는데다 또 작년 봄에 둘째 형님의 상을 당하고, 겨울에는 둘째 형님의 아들인 어린 조카를 잃어 지극한 슬픔을 하나같이 참기 어려웠거늘, 하물며 다시 또 세 번째의 슬픈 정경을 당했음이랴.

내 기력이 안으로 꺼져가고 밖으로 늙고 볼품없이 되어 날이 갈수록 더욱 분주해지니 내 비록 모질다 하나 목석이 아닐진대 어찌 오래 지탱할 수 있으리오. 그러나 하루가 3년같이 지긋지긋하여, 다만 원하는 바는 하루속히 너에게로 돌아가 지하에서나마 만나 모자의 인연을 잇고자 하는 것뿐이다.

슬프다. 세월은 흐르는 물과 같아 어느덧 3년이 되고 보니 너의 궤연几筵(혼백·신주를 모셔두는 곳) 또한 걷게 되고 사당에 들어가게 될 것이다. 이제부터는 비록 곡을 하여 가슴속 슬픈 한을 풀어보려 하여도 선왕의 예에 마련된 한도가 있으니 어찌할 수 있으랴.

슬프도다. 내가 평소에 좋아하던 물건을 보면 아침저녁 밥상에 갖추어 반드시 너에게 먹게 하기를 네가 살아 있을 때와 같이 하였지만, 이제는 그것조차 하지 못하게 되었으니 슬프고 애처롭도다. 내 장차 어느 곳에 마음을 붙여 여생을 살아가야 하느냐. 내 철궤연撤几筵(삼년상을 마치고 신주를 사당에 모시고 영좌를 거둬 치우는 일)을 하기 전에 참석하여 조석으로 와서 곡하며 조금이라도 원통한 마음을 풀어볼까 하나 눈이 점점 어두워져 거의 눈을 잃다시피 되었으니, 혹 성인의 가르침에 죄를 얻을까 두렵구나. 또 다음 날에 황천에 가서 네 얼굴을 알아보지 못할까 두려워서 이런 두려움으로 일이 뜻대로 되지 못하고 보니, 이 더욱 슬프고 가슴 아픈 일이로다. 내 이제 너의 몸가짐과 자태를 볼 수 없게 되었으니 행여 꿈에나 너의 혼이라도 와서 서로 대해보았으면 마음에 위로가 될까 하고 그 정 또한 아릿하여 끌린다. 그러나 네 능히 자주 꿈에 나타나 조금이라도 이 늙은 어미의 슬프고 원통하여 애달픈 심정을 만분의 일이라도 풀어다오.

슬프고, 슬프도다. 어서 와서 흠향하라.

-《윤지당유고尹摯堂遺稿》

얼마나 아들을 그리는 마음이 지극했으면 "사람들은 세월이 약이라 하더라만 지금 나의 뼈아픈 슬픔은 갈수록 더욱 심하여 이생에서 이런 슬픔은 다시 또 없을 것이다"이라고까지 하였을까.

하지만 날이 갈수록 그리움은 덜어지는 것이 아니라 태산처럼 쌓여만 가기 마련이다. 그래서 슬픔은 더욱 슬퍼지고 그리움은 더욱 깊어지는 것이다.

너를 그리워하고 너를 슬퍼하지 않는 날이 없을 것이구나.

아, 이를 어찌 참아낼 수 있을까.

# 바람은 요란하게 문풍지를 흔드는데

이하곤 | 맏딸 봉혜鳳惠의 무덤을 다시 찾으며哭鳳惠文

17, 18세기의 문인 이하곤李夏坤은 명문가에 태어났지만 벼슬길을 포기한 채 고향 진천에 〈완위각宛委閣〉이라는 서재를 열었다. 그는 좋은 책을 보면 입고 있던 옷이라도 벗어서 책을 살만큼 애서가로 소문이 났는데, 그렇게 해서 모은 책이 무려 1만 권이 넘었다고 한다. 이에 그의 서재 역시 〈완위각〉이란 이름 대신 〈만권루萬卷樓〉라고 불리게 되었다.

우리 집에는 무엇이 있나
서가에 만 권 서책이 꽂혀 있네
맹물 마시며 경서를 읊조리니
이 맛을 정말 어디에 견줄까.

家貧只有伍車書

此外都無一物餘

生死不離黃卷裡

前身應是食仙魚.

- 《두타초頭陀草》

이는 '책을 뒤적이다檢書'라는 그의 시로 그의 책 수집벽이 어느 정도였는
지 짐작이 가고도 남는다.

그는 겸재 정선鄭敾, 공재 윤두서尹斗緖 등과 깊이 교유하였는데, 문집《두
타초》에 윤두서의 〈자화상〉 및 〈공재화첩〉에 대한 기록, 정선의 여러 그림에
대한 화평, 당대 및 중국의 화가들에 대한 평評 등이 있어 평론가로서도 중
요한 위치를 차지하고 있다.

그는 눈에 넣어도 아프지 않았던 딸 봉혜鳳惠가 시름시름 앓다가 죽자 '모
든 것이 자신의 잘못'이라며 단장斷腸의 아픔을 가감 없이 드러내기도 했다.
여기에는 사랑하는 딸을 속절없이 떠나보낸 근엄한 선비이자 한 아버지의
애끓는 슬픔이 절절히 담겨있다.


병술丙戌(1706년, 숙종 32년) 2월 상사上巳일은 망녀亡女 봉혜鳳惠를 묻은 다음
날이다. 그의 아비는 떡과 고기와 과일을 마련하여 글을 지어 아이의 무덤
앞에서 곡하노라.

아아, 나는 스무 살이 넘도록 자식을 보지 못했는데, 네 엄마 또한 몸이

약해 병치레가 많아 대를 잊지 못할까 걱정이었다. 그러다가 경진庚辰 봄에 네가 태어났지.

너는 날 때부터 용모가 아름답고 신기가 빼어나 내가 매우 기뻐했으니, 딸을 낳은 아쉬움도 몰랐단다. 그러자 네 외증조부 월당공月堂公께서 "자네는 아들을 바라다가 딸을 얻었는데 무엇이 그렇게도 기쁜가"라며 편지를 보내셨단다. 이에 나는 도연명陶淵明의 "딸아이가 사내는 아니라도 마음을 달래주기엔 없는 것 보다 낫다오"란 시구를 들어 답서를 올렸지. 그로부터 2년 뒤 임오년壬午年에 네 동생 봉석鳳錫이가 태어났다. 그해 겨울 네 엄마는 너희들을 데리고 회천懷川 외가에 갔으니, 계미년癸未年 봄에야 처음으로 금계金溪(지금의 충청북도 진천)의 집에 온 가족이 모일 수 있었단다. 그때 봉석이는 이미 상을 짚고 일어섰는데 그 의기가 어엿했고, 너는 말씨나 몸가짐이 더욱 예뻤으니, 우리는 마치 두 개의 구슬을 놀리듯 종일토록 너희들과 놀았지. … (중략) …

이듬해 갑신년에 할아버지께서 강화 유수留守로 부임하시어 나와 너희들 모두 따라갔는데, 가을에 봉석이가 갑자기 찬바람을 맞고 앓다가 죽었다. 부모의 참혹한 심정이야 말로 할 수 없지만, 이때 너도 슬픔에 잠겨 매양 말하기를 "아아, 봉석아, 너는 어찌하여 부모님의 사랑을 버리고 죽었니. 너는 왜 혼자 무서움도 없이 빈산에 버려져 있니"라고 하였지. 그 말이 너무도 처절해서 차마 들을 수가 없었단다. 너는 또 부모가 지나치게 슬퍼할까 걱정하여 좋은 말로 위로하고, 재롱을 떨며 우리를 한 번 웃기려고 했지. 이에 우리는 봉석이 생각에 견딜 수 없었지만 그래도 네가 앞에서 온갖 정성을 다하는 까닭에 조금이라도 슬픈 마음을 달랠 수 있었는데, 이렇게 하루아침에 너마저 우리를 버리고 떠나갈 줄을 누가 알았겠느냐.

아아, 예전에 네가 봉석이의 죽음을 슬퍼하였는데, 이제는 우리가 또 너의 죽음을 슬퍼하게 되었구나. 너는 이를 아느냐, 모르느냐. … (중략) …

아아, 가슴이 미어진다. 가슴이 미어지는구나. 너는 비록 딸이었지만 나는 네게 기대한 것이 깊었단다. 너 또한 평소 건강하여 병치레를 하지 않았기에 이런 일이 생길 줄 꿈에라도 생각했겠느냐.

나는 천성이 못나고 괴벽스러워 서울 살기를 좋아하지 않았다. 그래서 을유년乙酉年 겨울 가족들을 모두 데리고 금계의 옛집으로 돌아오려고 했다. 마침 그때 서울 근방에 마마痘疾(천연두)가 크게 유행하였기에, 나는 "네가 아직 병에 걸리지 않았으니 멀리 시골로 피하는 게 좋을 듯하다"고 생각해 급히 너를 데리고 길에 올랐다. 그리고 얼마 후 죽산竹山 가섭리迦葉里에 도착했는데 그날은 바람이 몹시 불어 추웠단다. 이에 네 얼굴이 잔뜩 얼어서 한참 동안이나 말을 하지 못했지. 네 엄마가 급히 술을 입에 떠 넣고 화로를 피어 네 몸을 데워주자 조금씩 얼굴색이 돌아오고 말도 하게 되었다.

이튿날 새벽 너는 배앓이를 하며 토했지만, 나는 찬바람을 맞아 그런 것이니 크게 걱정할 일이 아니라고 여겨 오래 머물지 않고 다시 길을 떠났다. 그러다가 식송촌植松村에서 점심을 먹을 때 네가 또 토하는데 얼굴이 사색이 되지 않았겠니. 나는 두려움에 급히 수레를 몰았지. 운정雲亭에 도착했을 때는 이미 밤이 깊었단다. 몇 가지 약을 먹여 보았지만 듣지 않았고 이틀 후 비로소 얼굴에 자국이 나타나기 시작했다. 이에 급히 유 의원을 불러 진맥하게 했더니, 고개를 저으며 "이미 병세가 깊어 유부俞跗나 편작扁鵲 같은 신의가 오더라도 어쩔 수가 없게 되었습니다"라고 하더구나. 그 후 너는 8일 동안이나 일어나지 못하더니 10월 그믐날 아침부터 저녁까지 수십 번이나 설사를 하고 배가 북처럼 불러 숨소리가 빨라졌단다. 나는 네 발을 안고 앉았고, 네 엄마는 내 곁에 앉았지. 등불은 휘황하고 바람은 요란하게 문풍지를 흔드는데, 우리 부부는 그저 눈물만 흘리면서 서로를 바라볼 뿐이었다. 그때 너는 갑자기 눈을 떠 나를 보고 몇 마디 말을 하려다가 곧 목이 메는지 그만 두었는데 마치 부모와 영결하는 말을 하는 듯 했단다. 이때 부모의 마음이 어떠했겠니.

아, 슬프다. 아아, 슬프구나. 너는 병세가 악화되어 정신이 흐려 아무것도 기억하거나 분간하지 못했는데, 잠꼬대 같은 소리 가운데 문득 내게 말하기를 "아버지의 잘못이에요, 아버지의 잘못이에요"라고 했으니, 마치 내 잘못을 깨우쳐주는 듯했단다.

아아, 옛날 한유韓愈가 이르기를 "사람이 태어나 물과 불에서 벗어나지 못하는 것은 부모의 죄"라고 했으니, 따지고 보면 너를 병들게 하고 또 죽게 한 것이 누구의 죄란 말이냐. 네가 나를 따라 남쪽으로 오지만 않았다면 어찌 기운이 떨어져 병이 났겠느냐. 가령, 한때 병을 얻었다 해도 따뜻한 곳에 있으면서 잘 치료했다면 이렇게 갑자기 죽기까지야 했겠느냐. 하지만 사정은 그렇지 않았구나. 따스한 방과 이불을 떠나 찬바람 부는 들판에서 쓰러지게 하였고, 또 때맞추어 의원에게 물어 약을 쓰지도 못하고 길 위에서 죽게 만들었구나. 그래, 이것은 나의 죄란다, 모두 나의 죄지. 그러니 내 죽을 때까지 어찌 한이 되지 않겠느냐. … (중략) …

아, 슬프다. 아아, 가슴이 찢어지는구나.

나는 네가 떠난 뒤로 흙덩이처럼 방 안에 앉아 하루 종일 멍하니 벽만 바라보고 있단다. 앉아서는 무슨 일을 해야 할지 모르겠고, 나가서는 어디로 가야할지 모르겠구나. 혹은 책을 펼쳐놓고 한숨을 내쉬고, 혹은 밥상을 앞에 놓고 탄식하며, 혹은 그림자를 보며 중얼거리기도 한단다. 산을 보아도 네가 떠오르고, 물가에 가도 네가 떠오르며, 평대의 솔바람 소리를 들어도 네가 떠오르고, 달밤에 작은 배를 보아도 네가 떠오르니, 언제 어디서나 모두 네 생각뿐이로구나. 하지만 너의 자취는 이미 연기처럼 먼지가 되어 사라졌으니, 찾아도 보이지 않고 구해도 얻을 수가 없구나.

아, 나와 네가 아버지의 딸로 인연을 맺은 세월이 6년밖에 되지 않으니 언제 지하에서 다시 만나볼 수 있을지 모르겠구나. 그러니 지금부터 죽을 때까지 너를 그리워하고 너를 슬퍼하지 않는 날이 없을 것이구나. 아, 이를 어찌 참아낼 수 있을까. 나는 이제부터 세세생생世世生生에 너와 다시 부자父子가 되어 금생에서 다하지 못한 인연을 잇고, 무궁한 슬픔을 조금이라도 위로 받을 수 있기만을 바랄 것이다.

아아, 슬프다, 가슴이 미어지는구나. 네가 죽었을 때는 세속의 금기 때문에 묻어주지 못하고, 올해 한식날에야 관을 바꾸어 네 할머니의 무덤 옆에 깊이 묻어주었단다. 인석麟錫이도 너보다 며칠 뒤에 죽었단다. 너는 좌우의 봉석이, 인석이와 함께 할머니를 따를 것이니 혼백이 외롭지만은 않을 것이다.

아, 봄바람이 한 번 스치면 만물은 다시 살아나는데, 너의 혼백은 가서 다시 돌아오지 않으니, 이 아픔에 어디 끝이 있으리오. 감정이 격해져 말에 차례가 없지만 이 모두는 네 아비의 간장에서 나오는 것이니, 이를 안다면 지하에서도 들을 수 있을 것이다.

아, 슬프다. 아아, 슬프구나.

－《두타초》권2

사랑하는 자식을 죽음으로 잃어버리는 고통은 말로는 도저히 형용할 수 없다. 그 죽음이 예기치 않은 갑작스러운 죽음일 때는 더더욱 그렇다. 전혀 손쓸 수 없는 상황은 상실에 대한 슬픔을 배가시킨다. 이에 이하곤 역시 갑작스런 딸의 죽음 앞에 "심장이 찔리고 뼈가 깎이는 참혹한 고통이다. 아아, 애통하다! 아아, 원통하다!"라며 통절한 표현을 써가며 흐느껴 울어야 했다. 그래서 자식의 죽음을 '단장지애斷腸之哀(창자가 끊어지는 아픔)'라고 하기도 했다.

창자가 끊어지고 눈이 멀 정도의 참혹한 그 아픔을 대저 무엇으로 위로할 수 있을까.

네가 죽었다는 말을 듣고 곡하기 전에 가슴이 먼저 떨렸다.

밥을 대하면 눈물이 수저에 떨어지고, 말에 올라타면 눈물이 고삐를 적시노라.

# 눈물은 수저에 흘러내리고

윤선도 | 막둥이의 죽음을 슬퍼하며悼尾兒

"내가 이 사람에 대해 깊이 감사하고 있기 때문에 항상 그 이름을 부르지 않고 반드시 고산孤山이라고 부르고, 고산이라고만 부르지 않고 반드시 윤고산尹孤山이라고 세 자로 부르는 것은 의도가 있기 때문이다. 앞으로 국가에 큰 경사가 있으면 고산의 자손이 어찌 대대로 국가와 복록을 함께하지 않겠는가."

이는 조선의 제22대 왕인 정조가 한 인물을 두고 한 말이다. 그 주인공은 바로 고산 윤선도尹善道이다. 그는 정철鄭澈, 박인로朴仁老와 함께 조선 시조시가詩調詩歌의 대표적인 인물로 꼽히며, 조선조 시조문학을 마지막으로 장식한 대가로 알려져 있다. 하지만 성품이 강직하고 시비를 가림에 타협이 없어 다산 정약용 못지않은 유배를 살아야 했다. 그 세월이 무려 17년이었다.

그는 효종과 현종顯宗의 스승으로 이이첨李爾瞻(광해군 당시 대북의 영수)을 규탄하는 상소를 올렸다가 유배를 당했다. 그러나 효종 사후 예송논쟁에서 송시열에 패배하여 또 다시 유배되었다.

1639년 2월, 해배解配(귀양에서 풀려남)가 해남으로 돌아오던 길에 그는 청청벽력과도 같은 소식을 접하게 된다. 여덟 살 난 어린 아들 막둥이가 죽었다는 것이었다. 이에 큰 상심에 빠진 그는 헤어날 수 없는 슬픔을 한 편의 시에 담는다.

미아尾兒는 나의 첩이 낳은 사내아이다. 태어나면서부터 매우 영특해서 나의 사랑을 한 몸에 받았다. 하지만 기묘년(1639년, 인조 17년) 2월, 영덕 유배지에서 사면을 받고 돌아오던 중 20일 아침 경주 요강원要江院에 이르렀을 때, 미아가 마마媽媽(천연두)를 앓다가 이달 초하루에 죽었다는 소식을 들었다. 나는 가슴이 찢어지는 듯 너무 아파서 어떻게 마음을 걷잡을 수가 없었다. 이에 말 위에서 다음 시를 지어 슬픔을 토로하였다.

귀천의 구분은 다르다 해도
부자의 정이야 어찌 다르랴
도중에 네가 죽었다는 말을 듣고
곡하기 전에 가슴이 먼저 떨렸다
내 나이 마흔여섯에
슬하에 아이 두어서 기뻤나니

생김새가 참으로 내 자식이요

타고난 지능 또한 비범하였어라

겨우 서너 살이 되었을 적에

행동거지가 내 뜻에 맞았나니

종이와 붓을 좋아할 줄 알았고

배나 밤은 삼갈 줄 알았으며

이따금 간단히 가르쳐 주면

얼른 알아듣고 잘도 기억했지

여섯 살 때 내가 들어간 섬은

바다에 떠 있는 아득한 선산

수레 달리고 노를 저을 때마다

나를 따라서 안 간 곳이 없었는데

내가 앞뒤의 시내에서 노닐 때면

나보다 먼저 짚신 끈을 조여 맸고

내가 혼자서 석실에 있을 때면

날마다 찾아와 바위틈에서 놀았으며

기이하게 솟은 형상을 애완하면서

신선의 비경인 줄을 알아챘다네

옛사람의 선행을 듣기 좋아하여

내가 간단히 일러주면 불평을 하고

더 배우려 보채다 꾸지람까지 들으면서

밤에도 등잔불 아래 잠을 자지 않았다오

지난해 내가 붙잡혀 갈 당시에

서로 버리듯 황망히 이별하였는데

네가 나의 말 옆에 서 있기에

채찍 멈추고 한 번 돌아보았었지

유배지 산골에서 함께 놀 사람 누구리오

너에 대한 생각을 그만둔 적 있었으랴

금년 봄 꿈속에서 너의 모습 보았나니

완연히 들어와서 남창에 시립侍立하였기에

네가 어떻게 여기까지 멀리 왔을까

의아한 마음이 슬그머니 들었었다

내가 다행히 은사를 받고 돌아가게 되어

네가 날을 헤면서 고대하리라 여겼는데

어찌 알았으랴, 네가 죽었다는 소식을

오늘 오는 도중에 듣게 될 줄이야

네가 죽었을 때 염습하지도 못하였고

네가 아팠을 때 약도 쓰지 못했으니

나의 마음 더더욱 아플 수밖에

비통한 이 심정 비할 데 없어

밥을 대하면 눈물이 수저에 떨어지고

말에 올라타면 눈물이 고삐를 적시노라

전에 귀양 가서 소교所嬌(어린 자식, 둘째 아들 의미義美를 말함)를 잃었는데

지금 귀양 가서 또 이런 일 당하다니

이것이 비록 나의 악업 때문이라 해도

하늘의 벌은 어째서 이다지도 참혹한지

연전에 백미白眉(가장 뛰어난 사람)가 세상을 떠나

지금도 마음이 에는 듯한데

지금 또 네가 나를 저버리니

인생이 잠깐임을 더욱 느끼겠다

길고 짧음은 실로 명이 있는 것

생을 해친다면 도를 모르는 것

어찌 부질없이 슬퍼만 하겠는가

이견理遣(이성적으로 사리를 살펴 이해함으로써 슬픈 감정을 해소하는 것)할 수 있기

만 내가 바라노라.

- 《고산유고孤山遺稿》

"밥 앞에 두고 눈물은 수저에 흘러내리고, 말을 타면 눈물이 고삐를 적시
니"라는 구절은 흡사 굴원屈原의 〈이소경離騷經〉을 연상케 한다.

초楚 회왕懷王 때 삼려대부三閭大夫라는 벼슬을 지냈던 굴원은 모함을 받
고 쫓겨난 후 유배를 당하자 억울한 심경과 우국충정의 마음을 담은 〈이소
경〉을 남긴 후 상강湘江에 몸을 던졌다.

거듭 흐느껴 울어도 내 마음 답답하여

때를 잘못 만났음을 슬퍼하도다

혜초蕙草를 잡고 눈물을 닦으니

눈물이 옷깃을 따라 줄줄 흐르네.


曾歔欷余鬱邑兮

哀朕時之不當

攬茹蕙以掩涕兮

霑余襟之浪浪

– 〈이소경〉 중에서


하지만 시로 슬픔을 달랠 수 없었던 것인지, 그는 그길로 해남으로 내려와 집안일을 아들에게 모두 맡긴 후 은거할 곳을 찾는다. 그리고 1640년부터 해남 금쇄동에 은거하며 우리 문학사에 길이 남을 수많은 작품을 남긴다

윤선도는 1636년 유배지 영덕에서 둘째 아들 의미義美의 죽음을 이미 접한 바 있다. 그런데 이번에는 가장 아끼던 아들 막둥이마저 죽고 말았으니, 그의 가슴은 참담하도 못해 무너지는 듯했으리라. 가슴이 너무 아파 정신을 잃을 지경이었다고 한다. 그래서일까. 그의 작품을 읽노라면 은연중에 슬픔이 밑바닥에 도사리고 있음을 알 수 있다.

어려서부터 엄격한 가정교육과 훈육을 통해 성장한 고산은 열네 살에

'자국도회주自國島回舟'라는 한시 등을 통해 탁월한 문학적 재능을 드러내었다. 하지만 그의 삶은 다사다난 하기 그지없었다. 특히 한 가정의 가장으로서의 그의 삶은 설움 그 자체이다. 세 아들 인미, 의미, 예미를 먼저 떠나보내야 했기 때문이다. 이에 미수眉叟 허목許穆은 그의 묘명墓銘을 다음과 같이 썼다.

비간比干은 심장을 갈랐고, 백이伯夷는 굶어서 죽었고, 굴원屈原은 강에 몸을 던졌지만, 해옹海翁은 곤궁해질수록 더욱 굳세져 죽음에 이르러서도 변하지 않았으니. 의로움을 보고 목숨을 건 것은 한가지네.

－《미수기언》〈해옹윤참의 비문〉

너와 네 가족이 모두 안개나 연기처럼 사라져버려

다시는 이 세상에서 볼 수 없게 되었구나.

# 안개처럼 사라져버리다니

조 익 | 딸의 장사를 지내며 祭女文

 

조선 중기의 문신 조익趙翼은 남달리 효심이 깊었다. 그는 병자호란 당시 예조판서로 있었는데 종묘宗廟를 강화도로 옮긴 후 인조仁祖를 남한산성 으로 호종하려다가 여든의 아버지가 사라지자 며칠 동안 아버지를 찾느라 임금을 호종하지 못했다. 이에 병자호란 후 임금을 호종하지 못한 죄가 거 론되어 관직을 삭탈당하고 유배를 가야 했다. 그러나 그것이 효심에서 비 롯된 것이고, 아버지를 무사히 강화도로 도피시킨 후 경기지역의 패잔병들 을 모아 남한산성을 포위하고 있는 적을 공격했다는 사실이 참작되어 그 해 12월 석방되었다.

하지만 그의 삶은 불행의 연속이었다. 설상가상으로 사랑하는 딸마저 잃는 불운을 겪어야 했다. 더욱이 그 딸의 삶은 두 자식과 남편을 먼저 떠나 보내야 했을 만큼 참혹하기 그지없었다. 그래서인지 그가 딸의 장사를 지내며 쓴 제문 역시 슬프기 그지없다.

아, 슬프다. 내가 너를 낳고 기를 때 소망은 단 하나였다. 네가 아름다운 배
필配匹에게 시집을 가서 두 내외가 늙어 죽을 때까지 함께 화목하게 살고,
또 많은 자손을 낳아 기르며, 세상의 온갖 복을 다 누리며 살기를 바랐다. 그
런 내 염원과도 같이 너는 좋은 남편을 만났고, 집안도 화목하였으며, 잘 생
기고 영리한 아이도 낳았다. 그래서 나는 내 유일한 소망이 이루어졌음을 알
고 매우 기뻐하였다.

그런데 몇 년 사이에 네가 사랑하던 두 아이가 연달아 죽고, 수개월 후 남
쪽으로 갔던 네 남편마저 죽고 말았다. 그때 너는 네 남편의 병이 위중하다
는 소식을 듣고 곧 바로 남쪽으로 달려가 겨우 남편을 만났다. 하지만 이미
네 남편은 말을 하지 못하는 상황이었다. 그때 슬픔에 젖었던 마음이 네 건
강을 해쳤을 것이다. 나는 그 때 네게 편지를 보내 "음식을 억지로라도 먹어
건강부터 챙겨라. 뱃속에 있는 아이의 건강을 돌봐야 한다"며 위로했었다.

내가 바란 것은 너는 꼭 죽지 말고 그 아이를 낳은 뒤 그 아비의 제사를 지
내도록 하는 것이었다. 그해 9월 다행히 너는 사내아이를 낳았다. 네 어미와
나는 물론 너 역시 매우 기뻐하며 불행 중 다행이라고 여겼다. 하지만 그 애
가 태어난 지 일 년 만에 네가 죽고, 네가 죽은 지 한 달 만에 그 아이 또한 죽
고 말았다.

너와 네 가족이 모두 안개나 연기처럼 사라져버려 다시는 이 세상에서 볼
수 없게 되었구나. 세상에 어찌 이렇게 참혹한 일이 일어날 수 있단 말이냐.

아, 슬프다. 너의 그 단아한 얼굴과 목소리가 내 귀와 눈에 이렇게 남아 있거늘, 언제쯤 내 마음의 아픔이 그치랴.

오호, 이제는 이승에서 너를 도저히 볼 수 없구나. 언제나 내가 죽어 너를 다시 만날 수 있단 말인가. 이제 나이도 들고 몸도 쇠약해지고 있으니 너를 만날 날이 그리 멀지 않을 것이다.

네 장사를 지내고자 지금 여기 섰다(옛날에는 사람이 죽으면 임시로 땅에 묻었다가 몇 달 뒤에 장사를 지냈다). 네 영정 앞에 앉아서 이렇게 너를 영결하는구나. 이렇게 울부짖는 지금 내 마음은 갈기갈기 찢어지는 듯하여 근처의 온 산천이 모두 빛을 잃는 것 같구나. 지하에 있는 너도 아픈 이 아비의 마음을 알고 있느냐.

아아, 슬프고 애달프다.

－《포저집浦渚集》


대저 운명이 얼마나 잔혹하기에 조익은 딸과 사위, 외손자들마저 모두 일찌감치 저 세상으로 보내고 말았을까. "하늘이여, 하늘이여!"라고 외쳐 부르는 그의 슬픈 목소리가 저만치서 들리는 듯하다.

살아남은 자의 슬픔은 이다지도 서럽고 애통한데, 과연 죽은 자도 과연 그 마음을 알까.

이름을 부르면 금세 답하며 달려올 것 같고,

손을 내밀면 금세 네 손이 잡힐 것만 같구나.

하지만 이제 들을 수도 볼 수도 없음에 눈물이 끝도 없이 흐른다.

# 이제 볼 수도 들을 수도 없구나

조위한 | 아들 의僖의 죽음을 통곡하며 祭亡子僖文

허균許筠은 그의 저서 《성소부부고惺所覆螺藁》에서 한 인물에 대해서 다음과 같이 얘기한 바 있다.

"서로 친구가 되어 매우 좋아하며 마음에 거슬림이 없으니 아침저녁으로 서로 찾고 좋아서 잠시도 헤어지려 하지 않았다."

그 친구는 바로 현곡玄谷 조위한趙緯韓이다. 두 사람은 벼슬을 하기 전부터 함께 중국에 갈 것을 약속했을 정도로 절친한 사이였다.

조위한은 명종 22년(1567년)에 출생하여 인조 27년(1649년) 세상을 떠날 때까지 82년 동안 어지러운 세상을 어렵게 살아온 풍운의 사대부였다. 하지만 그 역시 참척의 아픔을 당해야 했다.

9월에 이르러 병이 다시 깊어졌으나 닷새 만에 조금 나아졌다. 그 뒤 속히 병이 나아 평소와 다르지 않게 평안하고 건강하였다.

을축년(1625년)이 다가오기까지 너는 별 탈이 없었다. 책을 읽고 글 쓰는 일에 너무 매진하는 것이 오히려 걱정스러워 책을 덜 읽었으면 했지만 차마 못 읽게 할 순 없었다. 그러나 11월 초하루에 병이 다시 도지고 말았다. 다음 날 증세가 조금 나아지는가 싶더니 먹는 것과 마시는 것, 그리고 웃고 말하는 것이 병이 나기 전과 조금도 다름이 없었다. 그러던 중 나는 차원差員(어떤 임무를 맡겨 다른 곳에 파견하던 벼슬아치)이 되어 강원도 간성杆城으로 가야 했다. 그러나 아픈 네가 걱정되어 가지 않으니 내게 어서 가시라고 권하였다. 이에 11월 3일 나는 먼 길을 떠나게 되었다. 그때 너는 나를 웃으며 보냈다.

다음날 나는 간성에 도착하였다. 그런데 관인이 새벽같이 달려와서는 네가 기절했다는 소식을 전하였다. 너무 놀라 말을 타고 가면서 통곡했는데, 집에 도착해 보니 너는 이미 꽁꽁 묶여 있고, 사람들이 염을 하고 있었다.

아아, 슬프다. 네가 죽는 것 보다 내가 죽어 없어져서 너의 죽음을 알지 못하는 것이 나을 것인데, 어찌하여 네가 죽고 내가 살아남아 이런 한도 끝도 없는 슬픔을 간직해야 한단 말이냐.

- 《현곡집玄谷集》

아들이 죽자 크게 상심한 조위한은 목숨을 끊으려고 하였다. 하지만 부질없는 짓이었다.

그는 아들의 재주가 남달랐다며, 아버지가 잘못이 있으면 그 단점을 지적해주는 것이 마치 지기知己와도 같았다고 술회하였다. 또한 시를 지을 때면 그 말이 너무 슬프고 가슴 아파서 다시는 그런 글을 짓지 말라고 타일렀다고 했다. 이에 그런 여러 가지 정황을 통해 보건데 아들이 인간 세상에서 오래 살 수 없음을 예감했다며 애달퍼한다.

아아, 슬프다. 어찌 내가 너의 혼령에 제사를 지낼 수 있겠느냐. 네 관을 덮던 그때, 나는 아이와 자식으로 만난 한없는 정을 적어서 네 관에다 넣었다. 그 뒤 나는 네가 내 꿈속에 나타나 그것에 대해 대답해주기를 바랐다. 그런데 해와 달이 지고 또 가도 한 번 간 너의 모습은 흔적조차 볼 수 없었다. 정말로 사람이 죽게 되면 혼백이 바람에 날리듯 흩어져 사라져 버리고 침침해져서 도저히 알 수 없단 말이냐. … (중략) …

아아, 슬프다. 다시는 이 세상에서 아름다운 네 모습과 네 목소리를 볼 수도 들을 수도 없단 말이냐. 네가 책 읽던 소리가 귓가에 선명하게 들리는 것 같고, 마당을 지나던 네 모습이 눈앞에 선연하다. 네 이름을 부르면 금세 답하며 달려올 것 같고, 손을 내밀면 금세 네 손이 잡힐 것만 같구나. 하지만 이제 볼 수도 들을 수도 없음에 눈물이 끝도 없이 흐른다.

-《현곡집》

부르면 어디선가 달려 나올 것만 같고, 손을 내밀면 금방이라도 손을 내밀어 그 따스한 손이 잡힐 듯하다. 하지만 손은 허공을 휘젓기만 하고 꿈속에도 찾아오지 않고, 간절하게 부르는 소리는 메아리가 되어 되돌아올 뿐이다. 이 얼마나 가슴 아픈 일인가.

통곡해도 소용없는 줄 익히 알지만

너무도 사랑했기에 억누르기 어렵구나.

# 나 죽거든 너와 한 기슭에 누우련다

이산해 | 아들을 곡하다哭子

아계鵝溪 이산해李山海. 그는 조선 중기의 문신으로《토정비결土亭秘訣》을 쓴 토정土亭 이지함李之菡의 조카이자, 오성과 한음으로 유명한 한음 이덕형李德馨의 장인이이었다. 또한 서화에 능해 선조조 문장팔가文章八家로 불리며 조광조趙光祖, 이언적李彦迪의 묘비를 쓰기도 했다. 하지만 북인의 우두머리가 된 후 수많은 선비들을 파직시키고 말았다. 공공의 적인 된 셈이다. 그 결과, 절친한 벗이었던 율곡栗谷, 송강松江과도 결별해야 했다. 그러나 정권이 바뀐 후 그는 쉰넷이라는 적지 않은 나이에 경상도 평해도 유배를 가야 했다.

그가 유배지에 있을 당시, 그의 아내와 어린 남매는 전란을 피해 천 리 길 머나먼 길을 찾아오곤 했다. 하지만 어느 날 그 아들이 갑자기 죽고 만다. 하늘이 무너지는 듯한 슬픔이었다. 이에 그는 슬픈 제문을 지어 아들의 영혼을 위로하였다.

네가 어이 나를 버리고 떠나
홀홀히 나를 돌아보지도 않느냐
울며 가슴 쳐도 너는 알지 못하고
목 놓아 불러 봐도 너는 깨지 않네
네가 간 지도 어언 반 달이 지났건만
어이 한 번 꿈속에도 오지 않느냐
정령이 어찌 자각이 없으랴마는
나의 슬픔 더할까봐 걱정해서겠지
경진년에 네 형을 곡할 당시엔
지하에 함께 못 묻힘이 한스러웠는데
이듬해 봄 다행히도 너를 얻어
슬픈 심정이 자못 위로되었었지
아침저녁으로 장성하기를 바랐나니
얼마나 마음 쏟아 지성껏 가르쳤던가
네 나이 겨우 열 살이 지나자
훤칠하게 또래들 중에 빼어났었지
지난해 뜻밖에 전란을 만나서
열 식구가 산속으로 피신할 적에
허둥지둥 네 어미와 누이를 따라

천 리 먼 이곳 유배지로 찾아왔었지

갖은 고초를 겪으며 높은 재를 넘고

주림 목마름 참으며 산길 물길 지나

황보촌에 와서 산 지 삼 년 동안

죽으로 끼니 때워도 탈이 없기에

네가 맘껏 뛰놀게 내버려두고

네가 건강해 내 마음 든든했었지

다리 아픈 것쯤 걱정하지 않았더니

마침내 위독해질 줄 누가 알았으랴

여드레 만에 기운이 실낱같더니만

가물가물 점점 끊어지려 했었지

사람들은 삿된 귀신이 붙었다 했지만

허탄한 소리라 나는 듣지 않았고

어떤 이는 종기가 안에서 생겼다 해도

이 말 역시 근거 없다 믿지 않았지

맥을 짚어보아도 아무도 병을 모르니

무슨 수로 좋은 약인들 쓸 수 있었으랴

완연한 너의 이목구비가

내 옆자리에 항상 있는 듯하고

낭랑한 너의 웃음소리는

먼저 간 네 형들과 노는 듯하네

해 저물면 너 오길 기다리고

밤 깊으면 널 불러 함께 잤지

때때로 네가 죽은 줄도 잊고 지내다

소스라쳐 문득 정신이 들곤 한단다

통곡해도 소용없는 줄 익히 알지만

너무도 사랑했기에 억누르기 어렵구나

죽음에 어찌 나이의 선후가 있으랴만

죽지 못한 이 몸 슬픔이 끝이 없단다

네 형이 겨우 스무 살에 죽더니만

지금 너는 열네 살에 요절하였구나

아들을 잃은 사람 물론 많겠지만

누가 나처럼 참혹한 슬픔 겪었으랴

내가 평소에 악한 업을 많이 쌓아

겹친 재앙을 이렇게 불러들였구나

무주공산에다 너의 널을 묻고서

향화를 사르고 한 번 곡을 하노라

네가 놀던 곳에는 동풍이 불어와

풀은 지난해처럼 이렇게 푸르건만

너는 가서 다시 돌아오지 않으니

이내 가슴이 어이 찢어지지 않으랴

조만간에 성은을 입고 사면되거든

말을 빌려 너의 유골을 싣고 가서

고향산에 돌아가 고이 안장하고

나 죽거든 너와 한 산기슭에 누우련다

나의 소원은 오직 이것뿐이지만

사람 일이란 알 수 없음을 어이하리요

넋은 어디고 마음대로 갈 수 있으리니

네 형을 찾아가 함께 잘 지내려무나.

-《아계유고鵝溪遺稿》권2〈기성록箕城錄〉


사면이 되면 말을 빌려 아들의 유골을 싣고 고향으로 가서 산에 안장하고, 죽으면 산기슭에 나란히 눕는 것이 소원이라고 끝맺은 후에도 아들을 위한 그의 부르짖음은 계속 된다. 〈밤에 일어나夜起〉라는 그의 시를 보자.


발자국 소리 가까워졌다, 다시 멀어지고

인기척이 있는 듯하여 내 아이인가 했더니

일어나보니 쓸쓸할 뿐 아무도 없어

달빛만 뜰에 가득하고 산새 구슬피 우네.

-《아계유고》권2〈기성록〉


돌아갈 길은 기약 없이 막막한데, 어린 아들 딸이 자신보다 먼저 가다니. 이 얼마나 가슴 아픈 일인가.

이 요찰夭札이야말로 곧 나의 과실이니

백 년이 지나도록 참통慘痛(뉘우치고 통곡함)하여도 미칠 수 없는 일일 것이다.

# 말보다 눈물이 앞서니

정 철 | 딸의 죽음을 전해 듣고祭亡女崔家婦文

　　우리 역사에서 송강松江 정철鄭澈만큼 극과 극의 평가를 받는 인물도 없다. 우선, 문장가로서의 그는 윤선도와 함께 가사문학의 대가로 일컬어질 만큼 아름답고 높은 평가를 받는 수준 높은 가사를 다수 남겼다. 하지만 정치인으로서 그는 관용과 아량이 부족하며 편협하다는 비판이 뒤따른다. 그 대표적인 사건이 바로 기축옥사己丑獄事(조선 선조 때 정여립이 모반을 꾸민다는 고변으로부터 시작되어 정여립과 함께 3년여 간 동인 선비 천여 명이 희생된 사건)이다.

　　1589년 기축년 10월, 정여립 역모사건이 일어나자 그는 우의정으로 발탁되어 사건을 처리하면서 천여 명의 선비를 죽음으로 내몰았다. 하지만 '권불십년 화무십일홍權不十年 花無十日紅'이라고 했던가. 막강했던 그의 권력 역시 그리 오래가지 못했다. 정쟁에서 밀린 그는 다시 유배를 가야 했다. 그리고 곧이어 사랑하는 딸의 부음을 전해 듣게 된다.

만력萬曆 19년(1591년, 선조 24년) 세차歲次 신묘辛卯 6일 모일某日에 네 아비 늙은 송강은 임금의 견책譴責을 받고 이제 바닷가에 물러나와 있으므로, 멀리 네 빈소殯所에서 일보는 사람으로 하여금 대신 술 한 잔을 따라 망녀 최씨 부의 영 앞에 부어주노라.

아, 너는 본디 성품이 인자하고 유순하며, 자질이 아름답고 맑아서 연마를 더하지 않아도 곧 금金이요, 옥玉이었다. 내가 네 배필을 가릴 때 애혹愛惑(여자와 사랑에 빠져 눈이 멂)에 빠짐을 면치 못하여 병이 든 사람에게 출가시키어 두어 달 만에 네 남편이 죽으니 네 나이 겨우 스물 둘이었다. 유약한 네가 이런 참혹한 변을 당하여 곡벽哭擗(죽은 사람을 애통해 하며 가슴을 두드리고 뛰는 것으로 벽용擗踊이라고도 함)을 절차 없이 하며 죽기로 작정하고 먹지를 않아 하루에도 몇 번씩 기절을 하니 이 소식을 들은 나는 차마 가까이 할 수조차 없었다.

너는 삼년상을 다 치른 후에도 더욱 조심하며 흰옷과 소박한 음식으로 열두 해를 보냈다. 이에 날이 갈수록 말라감을 슬프게 여겨 맛있는 음식이라도 먹으라고 권하면 가슴속에 맺힌 통한에 말보다 눈물이 앞섰다. 네 뜻을 꺾을 수 없음을 안 나는 아무 말도 없이 마주앉아 목메어 슬퍼할 뿐이었다.

그러다가 마침내 너는 고질병을 얻어 마침내 생명을 부지할 수 없는 지경에 이르고 말았다. 이에 나는 다시 전 날에 한 말을 거듭하였다. 그러자 너는 차츰 아버지 말에 따르겠다고 하면서도 또 시일을 끌기만 했다. 그리고 죽기 며칠 전에야 겨우 맛있는 음식을 먹겠노라며 자청해 말하기를 "부모의 명을 어기면 효孝가 아닌 즉, 내 장차 죽을 것이라 잠깐 제 뜻을 굽히겠습니다"라 며 조금 먹더니 이내 죽고 말았다.

아, 저 푸른 하늘이여. 덕德은 주고 수명壽命은 아꼈으니, 하늘의 이치가 어찌 이다지도 망망茫茫한 것인지. 이것을 비록 하늘의 운명이라고 하지만 사람의 잘못도 있다고 볼 수 있지 않겠느냐. 추운 겨울 찬방에 얼음과 눈발이 살에서 나올 정도였으니, 건강한 사람도 어렵거늘 하물며 병이 든 몸으로 어찌 부지할 수 있었겠느냐.

너는 집이 본래 가난하여 염장鹽藏과 식량이 여러 번 떨어졌었다. 이에 남편의 집에 정사情事가 맞지 않음을 애달프게 여겨 조그마한 집 한 간이라도 마련하여 제사 범절을 받들어 보려는 것이 평생의 지극한 소원이었으나, 힘이 모자라 뜻을 이루지 못하고 여러 가지 군색한 일로 가끔씩 마음을 상하며 속으로 녹아들어 그것이 불치의 병이 되고 말았다. 용한 의원에게 맡긴 것도 오히려 등한한 일인데, 하물며 이 요찰夭札이야말로 곧 나의 과실이니 백 년이 지나도록 참통慘痛(뉘우치고 통곡함)하여도 미칠 수 없는 일일 것이다. 더욱 통탄할 일은 병이 들었을 때 서로 보지 못하고 죽을 때에도 영결永訣을 못한 일이로다. 한 조각 밥과 나약한 노복奴僕이라도 하사받을 것을 너와 같이 나누려고 문서를 작성하였으나, 네 병이 위독하므로 네 마음이 불안하게 될까 저어하여 비밀에 붙여두고 말하지 않았는데, 나의 이러한 애통을 네가 아는지 모르는지, 이젠 네가 의뢰할 바는 오직 영서迎曙에 있는 무덤의 남편뿐일 것이다. 살아서 겪은 애통은 비록 괴로웠으니 죽어서는 즐거움이 틀림없이 많을 것이다. 이것이 오직 네 소원이었을 것인데 나 역시 어찌 슬퍼만 하랴. 더구나 고양高陽에 계신 우리 선산의 송재松梓(소나무와 가래나무)를 서로 마주보게 되었으니, 다른 날 혼백이 서로 더불어 비양飛揚할 것이다. 그러면 우리 아버지와 딸로 맺은 인연이 인간에서의 기쁨은 비록 적었지만 지하에서의 낙樂은 무궁하리니 또 무엇을 슬퍼하리오. 너 역시 괴로운 회포를 너그러이 하고 아비가 따라주는 술 한 잔 와서 들라. 상향.

−《송강집松江集》원집 권2

읽는 사람의 눈시울을 적시다 못해 가슴이 아파오게 만드는 글이다. 젊은 여인과의 사랑에 눈이 멀어 사위될 사람이 병든 줄도 모르고 시집을 보내야 했던 딸. 나중에야 그 사실을 알고 땅을 치며 후회했지만 당시 사회 분위기상 어쩔 수 없었을 것이다. 결국 사위는 결혼한 지 두 달 만에 죽고, 딸은 삼년상을 치른 후 시름시름 앓다가 죽고 말았다. 그러니 딸의 죽음은 자신의 잘못이라고 할 수밖에.

조선의 사대부 중 어느 누가 자신의 잘못을 이처럼 솔직하게 털어놓은 사람이 있을까. 솔직했으므로 적이 많았고, 한평생이 바람 앞의 등불처럼 위태롭기도 했지만, 솔직해서 아름답기도 했던 송강이었다.

그의 정치 역정은 언제나 동인의 모함과 공격으로 순탄치 못했다. 이로 인해 그의 삶은 낙향과 복직, 유배의 반복일 수밖에 없었다. 임진왜란 발발 후 다시 조정의 부름을 받아 선조의 피란을 총괄했지만 동인의 모략으로 인해 재기에 실패한다. 이에 1593년 전란 중임에도 강화도 송정촌으로 유배를 떠나고 그해 겨울 58세의 나이로 유배지 초막에서 쓸쓸히 생을 마감한다.

내가 평생에 지은 죄악이 아이에게 옮아 가

그 목숨을 짧게 했을 것이 틀림없다. 아, 절통하고 슬프다!

# 팔공산 동쪽에 아이를 묻고

양희지 | 어린 아들 영대榮大를 묻고瘞兒壙記

 

불행은 늘 예고 없이 찾아온다. 한성부우윤漢城府右尹(지금의 서울 부시장)
을 지낸 조선 초기의 문신 대봉大峯 양희지楊熙止는 총명했던 어린 아들 영
대榮大를 장사지냈던 무덤에 가서 아들의 모습을 떠올리며 슬프고도 아름
다운 제문을 남겼다.

여기는 내 어린 자식 영대의 무덤이다. 성화成化 12년 병신년(1476년, 성
종 7년) 나는 성은聖恩을 입어 장의사藏義寺에서 독서를 하고 있었는데, 조
대허曺大虛(조위의 字)가 금산金山에 갔다가 오는 도중 집에서 보낸 편지를 가
져왔다. 9월 4일 오시午時에 아들을 낳았다는 내용이었다. 나는 너무 기뻐
서 아이의 이름을 '영대榮大'라고 지었다. 이는 이 날 저녁 임금으로부터 선
온주宣醞酒(궁중에서 담근 술)와 붓을 하사받는 영광을 입었기 때문에 그 영광

을 기념하기 위해서였다.

같은 해 섣달에 휴가를 얻어 고향에 돌아가 아이를 보니 골격이 장대하고 눈과 눈썹이 그린 것처럼 또렷하였다. 이에 기쁜 얼굴로 집사람을 돌아보며 "아이를 잘 기르시오. 용렬한 놈은 아닌 것 같소"라고 말하였다.

아이는 두 살에 수천 글자를 해득하고, 세 살에 붓을 들어 큰 글자를 썼는데 획이 자못 힘차고 생기가 있었다. 그리고 네다섯 살에 벌써 시와 산문을 지어 사람들을 놀라게 하였다. 그리고 여섯 살에 《주역》에서 설명한 세상의 변화에 대한 이치를 이해하니, 홍겸선洪兼善(홍귀달의 字), 허헌지許獻之(허침의 字) 등이 입을 모아 칭찬하였고, 나 역시 마음속으로 아이의 영특함을 기특하게 생각하였다.

신축년(1481년) 가을, 달성達城 미리美里라는 마을로 거처를 옮겼다. 그때 아이는 제 형을 따라 선사암仙槎菴에 가서 머물고 있었다. 그 암자는 옛날 최고운孤雲(최치원의 字)이 벼루를 씻던 연못이 있는 곳으로, 아이는 날마다 그 연못 주위를 돌아다니며 시를 짓고 노닐었다.

그러던 어느 날 아이가 형에게 이르기를 "꿈에 도사가 나타나서 나를 안고 하늘로 올라갔어요"라고 하였다고 한다. 그 일이 있은 후 아이는 병을 얻어 집으로 돌아왔다. 그리고 며칠 만에 죽고 말았다. 이 날이 임인년(1482년) 6월 17일이다.

아, 애석하여라. 이런 내게 채기지蔡耆之(채수의 字)는 "도사는 분명히 최신선(최치원)일 걸세. 아마 그 아이의 재주를 사랑하여 데려간 모양이야. 그러니 너무 애석하게 생각지 말라"고 위로하였다.

하지만 이는 억지로 끌어다 붙인 허망한 말이다. 최고운이 신선이 되어 떠난 지 어언 천여 년이 되었거늘, 어찌 아직까지 죽지 않고 지금에 와서 한 어린아이를 데려간단 말인가. 생각건대, 내가 평생에 지은 죄악이 아이에게 옮아 가 그 목숨을 짧게 했을 것이 틀림없다. 그렇지 않다면 그토록 장대한 기골과 기특한 재주를 갖고 태어난 아이가 어찌 열 살도 안 되어 죽는단 말인가. 아이가 태어나던 날 집사람의 꿈에 키가 크고 눈썹이 하얗게 센 노인이 와서는 "댁에 기남자奇男子가 태어날 것입니다"라고 했다는데 내가 생각하기에는 아이가 보았다던 그 도사가 바로 그 눈썹이 하얗게 센 노인인 것 같다.

아, 절통하고 슬프다! 이 해 팔월 열엿새에 팔공산八空山의 동쪽 기슭에 남향으로 아이를 묻으니, 이 아이의 성은 양楊 씨이고, 아버지는 이름이 희지熙止로 홍문관弘文館 교리인데 사천현령泗川縣令으로 자청하여 임지에 있다가 어떤 일로 인해 체직遞職되었으며, 어머니는 이씨이다.

－《대봉집大峯集》


꿈속의 노인으로부터 "기남자가 태어날 것"이라는 계시를 받아 세상에 나온 그 영특한 아들이 열 살도 채 되지 않아 죽고 말았다. 원통하고 절통하다고 목을 놓아 울 수도, 소리칠 수도 없고, 그저 멍청하게 서서 먼 하늘을 우러를 뿐이다. 근심과 슬픔이 끊임없이 이어지는데, 그 무엇이 아들 잃은 아버지의 마음을 예전의 평온했던 마음으로 돌아가게 할 것인가.

눈물이 주룩주룩

하늘을 쳐다보니 그저 아득하기만 하네.

# 봄바람에 떨군 눈물 적삼에 가득하네

강희맹 | 아들 인손麟孫의 죽음을 애도하며悼子篇

조선 전기의 명신이자 문장가인 강희맹姜希孟은 우리나라 최초의 농학자로 알려져 있다. 그도 그럴 것이 그가 남긴《금양잡록衿陽雜錄》은 세종世宗의 명에 의해 편찬된《농사직설農事直說》과 쌍벽을 이루는 최고의 농서農書 중 하나로 꼽힌다.

사실 강희맹은 중국의 명문장가 사마천司馬遷, 구양수歐陽脩에 비유될 만큼 뛰어난 문장가이기도 했다. 하지만 그 역시 참척의 아픔을 겪었다. 이에 스스로를 달래며 다음과 같이 말한 바 있다.

"아! 아비와 자식의 관계는 천성天成이고 수명의 길고 짧은 것은 천수天壽이다. 근친近親도 수명의 길고 짧은 천수에는 어쩔 수 없으므로 애도의 마음이 일어나는 것이다."

이어서 그는 아들과의 추억을 떠올리며 가슴 아린 시를 남긴다.

신사년 가을, 아들 인손麟孫과 함께 공부하던 아이들이 시를 지었는데 인손이 장원을 차지했다. 이에 나는 인손에게 "일찍부터 헛된 이름이 나면 학문에 도움이 없으니 시를 배워서는 안 된다"라고 말하였다.

한 번은 연경(북경)에 갈 때 집안사람들에게 슬프게 생각하지 말라고 당부하였는데, 인손이 울부짖으며 전별 장소까지 따라와 눈물을 흘렸다. 이를 보는 내 가슴 역시 아프기 그지없었다. 인손은 말을 하면서부터 한 번도 허튼소리를 한 적이 없고 효성 역시 남달랐다.

그런데 그 아들이 어느 날 갑자기 요절하고 말았다. 그러니 그의 가슴은 얼마나 사무치고 미어졌으랴. 다음 글을 보면 아들에 대한 그의 사랑이 얼마나 깊고 남달랐는지 미루어 짐작할 수 있다.

아들 두니 아들 두니 나이가 열세 살이라
육친六親이 안고 끌며 선남이라 일컬었지
스승 따라 글 읽고 의리를 깨달으니
이따금 비범한 이야기를 하였었지
보배 못지않게 애지중지하였었지
이 늙은이 어떻게 요사할 줄 알았겠나
사람 만나 말하자니 마음이 부끄럽네
아, 한 번 노래하자 노래가 암담한데
봄바람에 떨군 눈물이 적삼에 가득하네.

이 늙은이 험난한 연경 길 떠나니
아이가 울부짖어 모습이 야위었지
아이가 구천 떠나 늙은이와 이별하니
이 늙은이 쫓아갈 도리가 없었지
문 닫고 말없이 우두커니 앉았으니
남산인들 이 사람 근심보다 높겠는가
아, 두 번 노래하자 노래가 끝나지 않아서
옆 사람 마음이 쓰리고 쓰렸다네.


어제는 아이들이 동각에 가득 모여
앞 다투어 호명하며 해학 잘도 하더니만
오늘 아침 아이들이 달리며 울어대고
슬픔 품고 이따금씩 조문객 왔네
어인 일로 길게 누워 불러도 못 듣고
일평생 이 마음에 상처를 주었는가
아, 세 번 노래하자 노래가 점점 빨라지니
따라가고 싶지만 천지가 비좁네.


아이 살고 내가 죽으면 내가 죽지 않은지라
가문 명성 안 끊겨 오래도록 빛나지만
내가 살고 아이가 죽으면 내가 바로 죽은 것이니

형영만 남아서 쓰러질 뻔하였다네

문경공 후손이 백 명도 안 된지라

만년에 아이 얻고 마음이 좋았는데

의지하고 싶어도 아이가 없으니

내 마음 일신 위해 상심한 게 아니었지

아, 네 번 노래하자 눈물이 주룩주룩

하늘을 쳐다보니 그저 아득하기만 하네.


깊이 든 큰 병도 치료할 수 있지만

일념의 이 상심(傷心)은 어느 때나 치료되나

월형(刖刑(발꿈치를 베는 형벌)을 당한 절름발 애꾸눈도 걷거나 보지만은

아이 잃은 이 늙은이 무엇을 한다는 말인가

때로는 번민 털고 관대하고 싶었지만

마음속에 슬픔이 때 없이 찾아드네

이 마음은 마땅히 이 몸과 존재할 터

일생을 무궁한 슬픔 길이 품겠네

아, 다섯 번 노래하자 노래가 슬퍼지니

구천(九天)의 어느 곳에서 내 아들을 찾으랴.


사람들이 찾아와 슬퍼 말라 하면서

그 아이와 전생에 원한이 있었다 말하네

그 말을 들러보고 감정을 눌렀지만
갑자기 생각나면 눈앞이 캄캄했지
나에게 정주니 어떻게 견디겠나
사랑이 고통 되니 어찌한단 말인가
아, 여섯 번 노래하자 노래가 안 되니
천지가 끝이 없지만 마음은 끝이 없어라.

싹이 나서 꽃 못핀 게 천명이 아니라고
소동파의 그 말이 옛날부터 전래됐지
안전에 갑자기 쌍명주를 잃고 나니
꽃만 피고 결실 못해 더욱더 가련하이
보양하며 날마다 성립하기 바랐는데
귀신이 왜 그리 빨리도 앗아갔나
부르다가 속이 타도 곧 바로 죽지 않고
노안에 눈물 없어 마음만 망연했지
사람들이 무정한 걸 이상하게 여기지만
마음 항상 들끓을 줄 어떻게 알겠는가
아, 일곱 번 노래하기 이 무슨 인연인고
천명을 어이하랴, 천명을 어이하랴.

− 《사숙재집私淑齋集》 권4

어찌 이리도 슬픈 심사를 적나라하게 표현할 수 있으랴. "천명을 어이하랴, 어이하랴" 부르짖는 그의 울음소리가 마치 눈앞에서 들리는 듯 서럽고 지극하기 그지없다. 사랑이 고통이 되니, 세상 모든 것이 들썩거리며 통곡할 만하다.

# 고분지통鼓盆之痛 _ 아내여, 아내여

고분지통鼓盆之痛 _ '물동이를 두드리며 서러워한다'는 뜻으로, 아내가 죽은 아픔을
말하며, '고분지척鼓盆之戚'이라고도 한다. 남편을 잃은 아내의 슬픔은 '붕성지통崩城
之痛'이라고 한다.

가슴이 무너지고 마음을 걷잡을 수 없으니, 대체 이 무슨 까닭인가.

# 가슴이 무너지고 마음을 걷잡을 수 없으니

김정희 | 아내 예안 이씨의 죽음을 애도하며 配所輓妻喪, 夫人禮安李氏哀逝文

'위리안치圍離安置'라는 형벌은 죄인이 유배지에서 달아나지 못하도록 가시울타리(탱자나무 가시)를 치고 그 안에 가둔 뒤 보수주인保授主人(죄인을 감호하는 주인)만 드나들 수 있도록 한 가혹한 형벌이었다.

'추사체'라고 부르는 독특한 경지의 서체를 만들어낸 추사秋史 김정희金正喜 역시 한때 위리안치 형을 받고 제주도에 머문 적이 있다. '날이 차가워진 뒤에야 소나무와 잣나무의 푸름을 안다'는 〈세한도歲寒圖〉 역시 유배지인 제주도에서 그린 것으로 정성을 다해 연경에서 구한 책을 보내준 이상적李尙迪에게 준 것이다. 그 무렵 그가 동생 명희命喜에게 보낸 편지를 보면 당시 그가 처한 상황을 잘 알 수 있다.

가시울타리를 치는 일은 이 가옥 터의 모양에 따라 하였다네. 마당과 뜰

사이에서 또한 걸어 다니고 밥 먹고 할 수 있으니, 거처하는 곳은 내 분수에 지나치다고 하겠네. 주인 또한 매우 순박하고 근신하여 참 좋네. 조금도 괴로워하는 기색이 없는지라 매우 감탄하는 바일세. 그 밖의 잡다한 일이야 설령 불편한 점이 있더라도 어찌 그런 것쯤을 감내할 방도가 없겠는가.

-《완당전집阮堂全集》권2

그는 제주도로 유배된 지 3년째 되던 1842년 11월 13일 아내 예안 이씨가 세상을 떠났다는 갑작스런 부음을 받는다. 비록 몸은 떨어져 있었지만 자나 깨나 지아비를 위해 찬물饌物(반찬거리)을 보내던 정성 지극한 아내였다. 이에 그는 그런 아내에게 다음과 같은 마음을 담은 편지를 자주 보내곤 했다.

이번에 보내온 찬물은 숫자대로 받았습니다. 민어는 약간 머리가 상한 곳이 있으나 못 먹게 되지는 아니하여 병든 입에 조금 개위開胃(위의 소화기능을 돕고 식욕을 돋우는 방법)가 되었고, 어란魚卵도 성하게 와서 쾌히 입맛이 붙으오니 다행입니다. 여기서는 좋은 곶감을 얻기가 쉽지 않을 듯하니 배편에 4, 5접 얻어 보내주십시오.

-《완당전집》권5

이렇게 수도 없이 보냈던 편지를 다시는 보낼 수 없게 된 것이다. 그는 하늘이 무너지고, 땅이 꺼지는 듯한 절망과 슬픔 속에서〈배소만처상配所輓

妻喪)이라는 글과 가슴에 사무치는 제문을 남긴다.

> 월하노인 통해 저승에 하소연해
> 내세에는 우리 부부 바꾸어 태어나리
> 나는 죽고 그대만이 천 리 밖에 살아남아
> 그대에게 이 슬픔을 알게 하리라.
>
> -《완당전집》권10

  아내의 부음을 듣고도 마음대로 갈 수 없는 신세였던 추사. 게다가 살면서 아내에게 잘해주지 못한 일들이 자꾸 떠올라 위와 같은 시를 지었다고 한다. 그 내용은 중매의 신인 월하노인에게 하소연해 다시금 죽은 아내와 부부의 연을 맺게 해달라는 것이었다.
  그는 이어서 가슴에 사무치는 제문을 지었다.

  임인년壬寅年 11월 13일 부인이 예산의 묘막에서 임종하였으나, 다음 달 15일 저녁에야 비로소 부고가 바다 건너로 전해져서, 남편 김정희는 상복을 갖추고 슬피 통곡한다. 살아서 헤어지고, 죽음으로 갈라진 것을 슬퍼하고 영원히 간 길을 좇을 수 없음이 뼈에 사무쳐서 몇 줄 글을 엮어 집으로 보낸다. 글이 도착하는 날 그에 인연해서 영구靈柩 앞에 고할 것이다. 거기에 이르기를 다음과 같이 한다.
  아아, 나는 강 앞에 있고 산과 바다가 뒤를 따랐으나 아직 내 마음을 흔들리게 한 적이 없었다. 그런데 한낱 아내의 죽음에 놀라 가슴이 무너지고 마음을 걷잡을 수 없으니, 대체 이 무슨 까닭인가.

아아, 대체로 사람마다 죽음이 있거늘 홀로 부인만 죽음이 없을 수 없으리오. 죽을 수 없는데 죽은 까닭에 죽어서 지극한 슬픔을 품게 되었을 것이고 기막힌 원한을 품게 되었을 것이다. 그래서 장차 뿜어내면 무지개가 되고 맺히면 우박이 되어 족히 공부자孔夫子의 마음이라도 움직일 수 있겠기에 산과 바다보다 더 심함이 있는가 보다.

아아, 30년 동안 효를 행하고 덕을 쌓아서 친척들이 칭찬하였고 친구와 관계없는 남들에 이르기까지도 감격하여 칭송하지 않는 사람이 없었지만 사람이 해야 할 떳떳한 일이라 해서 부인은 받기를 즐겨하지 않았다. 그러나 그대로 잊을 수 있겠는가.

내 일찍이 "만약 부인이 죽으려면 나보다 먼저 죽는 것만 못할 것이니 그래야 도리어 더 좋을 것이다"라고 장난삼아 말하면, 부인은 들은 체도 하지 않고 가버렸었다. 하지만 이는 진실로 세속의 부녀자들이 크게 싫어하는 것이나 그 실상은 이런 것이니, 내 말은 끝까지 장난에서 나온 것만은 아니었었다. 그런데 지금 마침내 부인이 먼저 죽고 말았으니, 먼저 죽은 것이 무엇이 시원하겠는가. 내 두 눈으로 홀아비가 되어 홀로 사는 것을 보게 할 뿐이니, 푸른 바다와 넓은 하늘처럼 나의 한스러움만 끝없이 사무치는구나.

－《완당전집》 권7


시인 윤동주는 〈팔복〉이라는 시에서 '슬퍼하는 자는 복이 있나니'를 여

덟 번 외친다. 슬퍼하고 또 슬퍼하다 보면 복이 있을 것이니 영원히 슬퍼하
겠다는 말이다.

> 슬퍼하는 자는 복이 있나니
> 슬퍼하는 자는 복이 있나니
> 슬퍼하는 자는 복이 있나니
> 슬퍼하는 자는 복이 있나니
> 슬퍼하는 자는 복이 있나니
> 슬퍼하는 자는 복이 있나니
> 슬퍼하는 자는 복이 있나니
> 슬퍼하는 자는 복이 있나니
> 저희가 영원히 슬플 것이요.

그제나 이제나 남편이 돌아오기만을 애타게 기다리던 아내가 그만 눈
을 감고 만다. 뒤늦게 그 소식을 들은 남편의 가슴은 미어터지다 못해 절규
한다. 자나 깨나 남편을 걱정했던 아내가 먼저 가고 없는 세상에 홀로 남은
추사가 느꼈던 심정 역시 이와 같았으리라.

당신을 보내고 난 뒤,

새벽에 잠이 깨면 베개에는 온갖 상념들이 줄을 이어 찾아드네.

# 목소리와 얼굴이 점점 멀어지니

심노숭 | 아내 완산 이씨 영전에 바치는 제문祭亡室氏文

흔히 조선 최고의 로맨티스트로 효전孝田 심노숭沈魯崇을 꼽는다. 그야
말로 그는 애처가요, 로맨티스트였다. 그는 아내를 위해 시를 짓고, 화공을
불러 아내의 초상화를 그릴만큼 아내를 아끼고 사랑하였다. 하지만 그런
아내가 젊어서 죽고 만다. 이에 벼슬에 나가지도 못해 가장의 역할을 다하
지 못했던 그는 뼈에 사무치는 그리움에 빠지게 된다. 이에 한 달이 지나도
록 잠을 이룰 수 없자 급기야 아내에 대한 그리움을 시로 짓기 시작했다.

그는 아내 생각만 하면 눈물이 나서 눈물의 근원을 밝힌 〈누원淚原〉이
라는 글을 쓰기도 했다. 또 "죽으면 알지 못할 텐데 뭐 하러 계속 시를 써대
느냐"는 벗들의 충고에 "죽으면 아무 것도 모른다는 말은 내가 정녕 견딜
수 없는 말이다"며 항변하기도 했다.

그의 망실문亡室文은 아내 완산 이씨가 삼청동 집에서 죽었음을 고하는

것으로 시작된다. 그는 여기서 아내의 목소리와 얼굴이 점점 멀어지는 것을 슬퍼하고, 꿈속에서도 만나지 못하게 되었음을 가슴 아파하고 있다.

유세차 임자 5월 27일 망실유인 완산 이씨가 집에서 죽으니 나는 그 목소리와 얼굴이 점점 멀어짐을 슬퍼한다. 이제 꿈에서도 만나기 어려울 것이니 애통한 마음에 한을 새기고 뱃속에 아픔을 담아두노라. 그대 죽음이 진실로 슬플진대 살아 있은들 무슨 즐거움이 있으리오. 멀고 아득한 시간들이 한바탕 꿈이로다. 그대 먼저 먼 곳을 구경하오. … (중략) …

당신의 성품은 참을성이 강했고, 관상은 후덕했으며, 기운 역시 강건하였네. 그래서 병을 이겨내리라 여겼었는데, 병을 이기지 못하고 그만 떠나고 말았네. 그것이 다 내 마음이 어질지 못해서 일어난 일 같아서 슬프기만 하네.

당신의 병이 어찌하여 생겼는지 그 원인을 이야기 한다면 당신은 틀림없이 듣기 싫어할 것이네. 가난 탓에 시래깃국조차 배부르게 먹어본 적이 없는 당신에게 인삼이나 복령 같은 약재는 어찌 생각이나 했겠는가. 그 춥고 눈 내리던 겨울, 밤새 굶주림에 아이는 울어댔지만 나올 것이 없었네. 그 아이를 강보에 감싸 따뜻하게 해주고서 밝게 웃으며 당신은 말했네.

"나중에 오늘의 이 일이 추억이 되어 웃으며 이야기 할 날이 다가올 테지요."

하지만 전생의 업보가 있어 받아야 할 벌이 끝나지 않아서인지 병이 고질이 되었네. 당신은 어린 아이를 더 걱정하고서 제수씨에게 잘 보살펴 달라고 부탁했었네. 하지만 아청(아이의 이름)이 당신보다 앞서 저승으로 갔다고 말하게 될 줄 어찌 알았겠는가. 아이를 고복한 뒤 그날 새벽에 처제가 꿈을 꾸었다네. 당신은 곱게 단장한 옷을 입은 채 서 있고 아이는 당신 곁에서 놀고 있어서 그 뒤를 따라 가려고 하자 뒤를 돌아다보며 전송을 하였다 하네.

동기감응이 있을 수도 있는 일이지만 오히려 가슴의 슬픔이 더 해서 간장이 다 녹는 것만 같았네. 아직 어린 송이는 영문을 모르기 때문에 통곡할 줄을 모르네.

-《효전산고孝田散稿》


심노숭은 죽은 아내에게 살아 있는 사람에게 이야기하듯 이런저런 이야기를 늘어놓는다. 아이 넷을 낳아 일찌감치 셋을 잃고 하나만 남았다는 것, 아이가 아내를 빼닮은 것을 아내가 기뻐하였다는 사실과 아이가 영특해서 가르쳐주는 대로 다 따라 배웠다는 것 등을 말하고 있다. 그리고 아내가 병이 심해진 후로는 멀리 나가지 못하고 곁에서 머뭇거렸다는 이야기를 하면서, 아내가 죽음을 앞두고 한 말을 기억해낸다.

"공연히 지아비 잠 깨우지 마세요."

이 얼마나 지극하고 가슴 절절한 사랑인가. 특히 임종하기 전 말하기가 힘에 부치고 혀가 이미 굳어져 갈 때 했다는 말은 그야말로 듣는 이의 가슴을 절절하게 만든다.

"가군께 인사를 못 드리니 죽어가면서도 더욱 마음이 아픕니다."

그의 가슴 절절한 망실가는 계속된다.


　파주坡州에 새 집을 짓고 살고자 했던 오랜 계획을 당신은 아직도 기억하고 있을 것이네. 사묘祠廟를 봉안하고, 어머니를 마저 모셔놓은 뒤, 나는 남아 있다가 결국 관속에 잠든 당신과 더불어 이곳으로 오게 되었네.

　당신을 보내고 난 뒤, 새벽에 잠이 깨면 베개에는 온갖 상념들이 줄을 이어 찾아드네. 어디 그것 뿐인가. 불도 켜지 않은 가운데 낙숫물 소리만 들려오네.

　지나간 시절을 회상하니 문득 한 소식을 한 스님과도 같네. 진실로 슬퍼할 만한 것이 죽음이지만 살아있다고 한들 도대체 어떠한 즐거움이 있을 것인가. 한 세상 사는 것이 유장한 세월 속에 한바탕 꿈과 같으니. 당신 먼저 멀고 먼 그곳을 구경하기 바라네.

　지난해의 오늘을 회상하니 가슴이 아릿하네. 남산 아래 있던 집에서 쟁반에는 떡이 가득 담기고 마루 위엔 웃음소리가 가득했네. 어린아이는 찹쌀떡을 내어놓고, 당신은 나를 위해 술 한 잔을 따라 주었네. 술에 취한 나는 시를 읊었고, 그러다 보니 밤이 다 지나갔네.

　덩그렇게 큰 집에 혼자서 남아 집을 지키고 있는데도 나는 길 가는 나그네 같네. 당신 혼령이 아직 어두워지지 않았다면, 이런 나를 내려다보고 깊이 슬퍼할 것이네. 지금도 피어 있는 꽃들과 집을 둘러싸고 있는 나무 위에선 매미들이 울어대네. 푸른 하늘엔 흰 구름이 유유히 흘러가고, 땅에는 저렇듯 푸른 강물이 흐르네.

임이여, 부디 이곳으로 임하게. 상향.

-《효전산고》

　그의 망실가는 〈동원東園〉이라는 시에서 절정을 이룬다. 여기서 그는
부인 이씨가 죽은 지 일 년 만에 남산 옛집에 갔다가 동생의 부인이 차려
준 밥상에 쑥이 올라온 것을 보고 부인 생각에 눈물이 났었다며 고백하고
있다.

　동쪽 정원에는 눈이 녹아 계곡물에 더하고
　고운 구름 떠있어 봄 그늘을 땅에 드리우는데
　적막한 후당後堂에는 겹문이 닫혀있고
　거미줄, 엉긴 먼지가 대나무 주렴에 쌓였네.


　낮은 담장 동편 밭두둑 늙은 괴나무 아래에
　실 같은 푸른 싹, 쑥이 자라나는데
　그대는 오순도순 해마다 쑥을 삶았으니
　동서들이 모여 앉은 방안에는 웃음소리.


　치마는 걷어 올려 허리춤에 묶었고
　손에 쥔 작은 호미 갈고리처럼 굽었는데
　늙은 시부모 다가와선 잔소리는 얼마던가

아이는 대바구니, 쑥 캐는 길 뒤를 좇네.

어느새 물이 끓으면 쑥이 익도록 불을 넣고
북쪽 시장에선 젓갈 사고 서쪽 시장에선 기름을 샀네
문 앞에 장사치들 생선을 꿰어 팔면
생선 비늘 벗겨내어 제철음식 갖추었지.

나는 또한 저녁 식사에 반드시 술을 찾았으니
그대는 패물을 풀어 여종에게 쥐어주며
행여나 지체 말라 조곤조곤 당부하니
골목 어귀 신씨네는 술을 새로 걸렀다더군.

밥상 앞에 둘러 앉아 웃음소리 가득했고
나 또한 시 읊으며 온갖 시름 버렸는데
이 몸은 지난 해 서쪽으로 떠나가서
3개월간 산수를 즐기며 천리 밖을 노닐었더니.

돌아오자 당신은 병들었고 쑥 또한 시들었는데,
그대 울며 말하기를
"가실 기약 있는데 어찌 지체하십니까.
시간이란 강물처럼 사람을 기다리지 않고

인생이란 그 사이가 하루살이 같은 것.

이 몸은 죽으나 내년에도 쑥이 돋을 테니,

새 쑥을 보거들랑 제 생각이 나시겠죠."


오늘 우연히 제수씨가 밥을 내왔는데,

밥상 위의 여린 싹에 문득 목이 메는구려.

그 시절 나를 위해 쑥 캐던 당신,

이제 그 얼굴 위로는 쑥이 돋는 한줌의 흙이.

— 《효전산고》


　심노숭은 서른한 살 되던 해 아내를 잃었다. 그의 아내는 새로 짓는 집 주변에 많은 꽃과 나무를 심고 싶어 했다. 이에 아내를 새집 가까이 묻고, 아내의 생전 바람을 생각하며 그 주변에 많은 나무를 심기 시작했다. 죽은 뒤 무궁한 세월을 아내와 함께 즐기고 싶었기 때문이다.

　이후에도 심노숭은 아내를 그리며 수십 편의 감동적인 시문詩文을 썼다. 먼저 세상을 떠난 아내에게 닿으려는 그리움과 간절함이 그토록 강했기 때문이다.

당신이 그 날 그 지경에 이를 줄은 정녕 몰랐다.

이제 우리 모자의 목숨은 어찌 될 것인가.

다 하늘이 하시는 일이나 원통하고 원통하도다.

# 정녕 슬픈 날

혜경궁 홍씨 | 남편 사도세자思悼世子가 뒤주에 갇히던 날

영조英祖 38년(1763년) 윤閏 5월 열사흘. 유난히도 더운 날이었다. 영조
는 아들 사도세자思悼世子에게 다음과 같이 명한다.

"네가 나를 죽이려고 흉계를 꾸미고 저주하였으니, 너는 죽어 마땅하다.
지금 네가 살고 내가 죽으면 이 나라는 망하고 말 것이다."

이에 세자는 허리띠로 목을 맨 뒤 기절하고 말았다. 춘방春坊(세자의 교육
을 담당하는 세자시강원) 관원들이 세자를 소생시킨 후 용서해줄 것을 청했지
만 영조는 꿈쩍도 하지 않았다. 이에 한림翰林 임덕제林德蹄가 최후의 수단
으로 황급히 내전에 연락하여 당시 열한 살의 왕세손王世孫(세자의 맏아들. 여
기서는 훗날의 정조)을 업어오게 하였다. 그리고 세손으로 하여금 할아버지
영조에게 아버지를 용서해달라고 빌게 하였다. 하지만 세손의 눈물에도 영
조의 생각은 바뀌지 않았다. 급기야 영조는 어영御營에 있던 뒤주를 들여

오게 하여 풀을 채우게 한 후 세자를 그 속에 집어넣은 후 뚜껑을 덮으라고 명했다. 하지만 어느 군병도 감히 뚜껑을 덮으려고 하지 않았다. 그러자 영조가 친히 내려와 뚜껑을 덮은 후 못을 박게 하였다. 영의정 신만申晩과 좌의정이자 사도세자의 장인이었던 홍봉한洪鳳漢, 그리고 판부사 정휘량鄭翬良이 그 장면을 지켜보았다.

이후 여드레 동안 뒤주 속에 갇혀 있던 사도세자는 결국 그 달 스무하루에 한 많은 생을 마감하고 말았다. 세자의 나이 스물여덟이었다.

사랑을 얻기 위해선 가문을 버려야 하고, 가문의 뜻을 따르자니 사랑이 우는 《로미오와 줄리엣》의 한 구절에나 나옴직한 비극적인 시대를 살다간 사람이 바로 사도세자의 비妃이자 정조의 어머니인 혜경궁惠慶宮 홍씨일 것이다. 그런 점에서 《한중록閑中錄》이 자신의 남편과 아들에 대한 사랑이 아닌 집안과 가문을 위해 쓰인 것이라고 보는 시각도 없지 않다.

다음 글은 사도세자가 영조의 명을 받기 직전 아내 혜경궁 홍씨와 대화를 나눈 내용이다.


휘령전徽寧殿에서 사람이 와 세자를 부르신다 하니, 이상하게도 피하자는 말도 달아나자는 말도 아니하시고, 좌우를 물리치지도 아니 하시고 조금도 화난 기색 없이 썩 용포를 달라 하여 입으시며 이렇게 말씀하셨다.

"내가 학질을 앓는다 하려 하니, 세손의 휘항揮項(머리에 쓰는 것으로 일종의 방한구)을 가져오라."

이에 내가 그 휘항은 작으니 당신 휘항을 쓰시라 하고 나인더러 가져오라

하니 뜻밖에 화를 내시며 말씀하시기를 "자네는 아무튼 무섭고 흉한 사람이로세. 자네가 세손을 데리고 오래 살려 하여, 내가 오늘 나가 죽겠기로 그걸 꺼리어 세손 것을 못 쓰게 하는가. 그 심술을 알겠네"라고 하셨다.

하지만 나는 당신이 그 날 그 지경에 이를 줄은 정녕 몰랐다. 이 끝이 어찌될꼬. 이제 우리 모자의 목숨은 어찌 될 것인가. 아무런 정신이 없었다.

천만 의외의 말씀을 하시니, 내 더욱 서러워 세손의 휘항을 가져다 드리며 "그 말씀은 마음에 없는 말씀이니 이를 쓰십시오"라고 하자 "싫으이. 꺼리는 것을 써서 무엇 할고"라고 하셨다. 이런 말씀이 어찌 병환病患이 깊이 든 사람 같으시며, 또 어이 공손히 나가려 하시던고. 다 하늘이 하시는 일이나 원통하고 원통하도다.

— 《한중록》

정조의 어머니이자, 사도세자의 아내였던 혜경궁 홍씨에 대한 역사적 평가는 분분하다. 다양한 평가가 있지만 대체적으로 남편인 사도세자의 죽음을 방조한 여인이라는 인식이 짙다.

하지만 그녀가 정말 남편의 죽음을 방조한 여성인지, 아니면 너른 궁궐 속에서 지독한 고독함과 싸워야 했던 여인인지, 아들을 왕 위에 오르게 한 조력자인지에 대한 판단은 어디까지나 우리의 몫이다.

누가 말했던가. 흥이 다하면 슬픔이 오고興盡悲來 쓴 것이 다하면 단 것이 온다苦盡甘來고. 하지만 세상은 정답이 없는 것이라서 기쁨이나 서러움도 그때그때 입장에 따라 다르고 원통한 것 역시 상황에 따라 다르다.

47년간 즐거움과 괴로움을 함께 하고

슬픔과 기쁨도 함께 하여 금슬琴瑟을 타는 것과 같이 지냈는데,

이제는 다 그만이구려.

# 그대 목소리 아직 들려오는 것 같고

안정복 | 아내 숙인 성씨 영전에 바치는 제문祭淑人昌寧成氏文

《동사강목東史綱目》의 저자로 알려진 실학자 순암順庵 안정복安鼎福은 뛰어난 학문으로 당대 학계를 풍미한 인물이다. 하지만 그런 그에게도 인간적인 고뇌가 적지 않았다. 이에 남모르는 눈물 역시 많이 흘렸다. 안빈安貧으로 평생을 일관한 그이기에 평생을 따라다닌 가난은 대수롭지 않았다. 하지만 천주학에 물든 사위 권일신權日身과 의절할 때는 사상과 의리의 기로에서 극심한 번민을 감수해야만 했다. 또한 동고동락했던 아내와의 사별과 외아들 경증景曾의 연이은 죽음은 충격을 넘어 그를 절망하게 하였다.

그는 18세에 성순成純의 딸을 아내로 맞이하여 64세가 되던 1775년 1월에 부인을 떠나보냈다. 꼬박 47년을 함께 산 셈이다. 하지만 그는 부인 성씨가 사망한 지 석 달이 지났음에도 그 죽음을 인정하고 싶지 않았다고 한다. 이를 통해 그의 부인에 대한 사랑과 상실의 아픔이 얼마나 컸는지 알수 있다.

다음은 그가 사랑하는 아내 숙인 창녕 성씨의 죽음에 곡하며 쓴 제문이다.

을미년(1775년, 영조 51년) 3월 1일 무신에 정복이 삼가 숙인 창녕 성씨의 영전에 고하고 곡합니다.

숙인이 죽은 지 벌써 석 달이 되었구려. 이미 석 달이나 지났는데도 죽었다는 생각이 들지 않아 밖에서 돌아오면 목소리가 들려오는 것 같고, 배가 고프면 밥을 달라고 하려하고, 병이 들면 간호해주기를 바라는 생각이 들고, 집안에 헤아려서 결정할 일이 있으면 상의하려는 생각이 들어, 이러한 마음이 문득 일어났다가 그치곤 한다오. 47년간 즐거움과 괴로움을 함께 하고 슬픔과 기쁨도 함께 하여 금슬琴瑟을 타는 것과 같이 지냈는데, 이제는 다 그만이구려.

아, 애통합니다. 이제 숙인이 정말 죽었구려. 숙인이 나와 함께 우리 부모를 섬길 때 항상 맛있는 음식이 충분하지 못한 것을 근심하다가 갑자기 부모를 잃는 고통을 당하는 바람에 잘 봉양하고자 하는 소원을 끝내 이루지 못하였는데, 이제 돌아갔으니 지하에서 친정부모와 시부모들이 상종하여 친정부모에게는 저녁인사를 드리고 시부모에게는 아침 문안을 드리며 평일과 같이 기쁘게 받들면서 인간세상과 다름없이 단란한 즐거움을 누리고 있는지요. 만약 그렇다면 숙인의 죽음은 불행이라 할 수 없고, 이렇듯

지지리도 죽지 않고 있어서 숙인과 더불어 즐거움을 함께 하지 못하는 자가 오려 슬픈 것이오.

아, 애통합니다. 애도의 마음을 가지고 지난날을 생각하건대, 효성스럽고 조심스러운 숙인의 행실은 천성에서부터 비롯된 것으로 우리 집안에 들어온 이후로 한 번도 어긋난 적이 없었기에 시부모가 사랑하고 집안사람들이 좋게 생각하였소, 공경으로 뜻을 받들기를 잠시도 게을리 하지 않았고 뜻을 거역하는 표정과 주제 넘는 일을 일찍이 시부모 앞에서 한 번도 하지 않았소. 이것은 젊어서부터 늙을 때까지 하루와 같이 행하였던 일이었고, 병이 들었을 때는 음식을 마련하는 일 외에도 약 달이는 일까지 몸소 하고 남에게 맡기지 아니하였소.

우리 집이 매우 가난한데다 식구가 많고 제사도 많으며 손님도 많아 해마다 들어오는 수입으로는 그 절반도 충당할 수가 없었는데, 숙인은 마음과 힘을 다하여 좌우로 어려운 살림을 꾸려나가 나의 성의를 극진히 하고야 말았소. 병들어 위태로운 때도 제사드릴 때가 되면 비록 몸소 제기祭器를 잡지는 못하더라도 한밤중까지 잠자리에 들지 않고 물품을 살폈으니, 선조를 향한 정성이 남보다 뛰어나지 않았다면 어찌 능히 이와 같이 할 수 있었겠소.

숙인은 성품이 유순하고 검소하여 오직 음식을 만드는 일만을 스스로 맡았으니, 《시경詩經》에 이른바 "잘못한 것도 없고 잘할 것도 없이 오직 술과 음식만 이에 의논한다"는 것은 숙인을 두고 한 말일 것이오. 내 성격은 강하고 급하여 부모님 앞에 있을 때라도 더러 온화한 안색이 부족하였는데, 그러면 숙인이 반드시 경계하여 말하기를 "저는 옛날의 효자는 안색을 부드럽게 하고 모습을 유순하게 한다고 들었지 굳세고 꼿꼿한 기색으로 부모를 섬긴다는 말은 듣지 못하였습니다. 실로 이렇게 하지 않는다면 어찌 학문을 귀하게 여기겠습니까"라고 하였소. 내 비록 선천적인 병통을 과감하게 고치지는 못했으나 그 말에 마음속 깊이 감복하곤 했다오. 다만, 내가 소활하고 자상함이 부족하여 일찍이 숙인에게 한마디도 이런 말을 하지 않았기 때문에 숙인이 늘 자기를 알아주지 않는다고 하였으나, 내가 어찌 숙인을 알지 못했을 것이며, 숙인이 몰라준다고 탓을 한 것 또한 어찌 또한 참말이었겠소.

아, 내가 몸이 약하여 젊어서부터 병치레를 잘하다가 만년에 기이한 병에 걸렸는데, 증세가 나타날 때는 짧은 순간도 목숨을 보장하기가 어려웠소. 그럴 때면 숙인이 근심 걱정으로 애태워 밥도 먹지 않고 잠도 자지 않았으며 옷 벗을 겨를도 신발을 신을 벗을 겨를도 없었는데, 이렇게 하기를 늙도록 조금도 게을리 하지 않았소. 그러니 내가 지금까지 목숨을 부지하고 있는 것은 숙인의 힘이 아니고 뭐겠소. 이것이 비록 아내 된 사람이 보통 하는 일이기는 하지만 숙인이 정성을 다하고 뜻을 다한 것은 남들이 미칠 바가 아니었소.

이제 나만 홀로 살아남고 숙인은 돌아가 버렸으니 이 은혜를 어찌 잊을 수 있겠소. 한스러운 것은 우리 집이 가난하여 숙인으로 하여금 하루도 그 몸을 편히 두지 못하게 한 것이오. 지게미와 겨도 배불리 먹지 못하였고 겨울에는 솜옷이 없고, 여름에는 갈포葛布가 없었으며 풀을 포개어 자리를 깔고 치마를 잘라 이불로 삼았으니, 이것은 사람들이 견디지 못하는 바였소. 그런데도 내가 혹 위안이라도 하면 숙인은 "남들보다 살림을 못해서 그런 것입니다"라고 대답했었소. 숙인은 검소한 자세를 조금도 누그러뜨리지 않아 죽는 날에 이르러서도 오히려 정성스럽기만 했는데 어찌 살림하는 것이 남들보다 못하였다고 하겠소. 겸손하게 자신을 낮추는 숙인의 덕을 여기에서 더욱 볼 수가 있는 것이오.

사실 6, 7년 전부터 숙인의 병이 징후가 있었는데, 설사와 체기는 늙은이들에게 으레 있는 병이 아니니, 병든 원인을 따져보면 실로 궁하게 살아 굶주리고 지쳐서 그런 것이었소. 그런데도 끝내 좋은 약을 써서 그 원기를 보충해주지 못한 채 그럭저럭 세월만 보내다가 지난해에 이르러 병세가 더욱 악화되어 이렇게 되고 말았으니, 어찌 세상이 끝나도록 잊히겠소. 아마 죽을 때까지 깊은 한이 될 것이오. 지난겨울 이후로 병세가 더 이상 어찌할 수 없다는 것을 알고 장례 준비를 하고자 하였는데, 숙인이 손수 짠 명주가 있다는 말을 듣고 그것을 쓰려고 하였으나 숙인이 강력히 말렸으니, 대개 그 뜻이 훗날 나를 위해서 쓰게 하려는 것이었소. 비록 병중에 있었으나 나를 향하는 뜻은 이와 같이 지극하였던 것이오. 비록 작은 일이지만 나도 모르게 가슴이 아파온다오.

임진년(1772년, 영조 48년) 이후 내가 두 번 소명을 받아 나아가게 되었는데, 숙인이 경계하기를 "세상길이 험난하여 곧은 도리가 용납되기 어렵습니다. 다만 생각하건대, 당신은 천성이 소활疎闊하여 남을 지나치게 믿으니 말세에 처신하는 도리가 아닌 듯합니다. 우리 집안은 본래 선비의 집안으로서 높은 벼슬이 귀한 줄을 모르니 농사일에 힘써서 아침저녁 끼니나 이어가면 이것으로 그만입니다. 이제는 봉양할 부모님도 안 계시는데 벼슬하여 무엇 하겠습니까"라고 하였소. 이것이 어찌 세속의 용렬한 아낙네가 말할 수 있는 것이겠소.

아, 애통합니다. 순박하고 근면한 기질과 단아하고 깨끗한 지조, 자신을 낮추는 덕을 이제는 다시 볼 수가 없구려. 내 평생에 가볍게 남을 허여하지 아니했는데 어찌 숙인에 대해서만 지나치게 칭찬하는 말을 하겠소.

아, 애통합니다. 숙인이 이제 혈육血肉과 육체로부터 벗어나 태허太虛의 두 기운 사이에서 호탕하게 노닐고 있을 것인데, 나의 이 말을 듣고서 나를 불쌍하고 가련하게 여길 것인지 아니면 천명天命을 알지 못한다고 웃을 것인지 모르겠구려. 한 아들은 의지할 데 없이 외롭게 있고 한 딸은 아직 시집가지 못했기에 내 마음이 아픈데, 숙인도 어쩌면 마음이 아플 것이오.

이제 초하루 전奠 드릴 때를 당하여 불러주어 쓰게 하여 고하노니, 신령이 만약 안다면 이렇게 간절하고 애틋한 마음을 살피소서.

아, 애통합니다. 삼가 흠향하소서.

－《순암집順菴集》


숙인이 떠난 지 석 달이 되었는데도 믿기지 않아 집에 돌아오면 목소리라도 들릴세라 귀 기울이고, 기울이는 모습이 가슴을 아리게 한다.

사랑은 그렇게나 아프고 쉽게 잊지 못하는 것인가 보다. 이를 통해 보건대, 수백 년 전 이 땅에 살았던 사람들의 애통한 울음은 우리에게 이렇게 말하고 있는 건 아닐까 싶다.

'지금 자신을 둘러싼 모든 것을 아끼고 사랑하라'.

끝내 몸이 지쳐 병에 걸려서 이 지경에 이르렀으니,

그 처음과 끝은 따져보면 나로부터 비롯되지 않은 것이 없습니다.

# 뜻은 무궁하나 말로는 다하지 못하고

송시열 | 아내 이씨의 부음을 전해 듣고祭亡室李氏文

송시열은《조선왕조실록》에 그 이름만 무려 3천 번 넘게 언급될 만큼 조선 역사에 지대한 영향을 끼친 인물이다. 하지만 그의 죽음에 얽힌 이야기는 비극적이다 못해 안타깝기까지 하다.

그는 1689년 1월 장희빈이 낳은 아들(훗날의 경종)에게 원자 칭호를 부여하는 문제를 둘러싼 기사환국己巳換局(경신출척庚申黜陟으로 실세하였던 남인이 1689년 희빈 장씨의 소생인 원자元子 정호定號 세자 책봉 문제로 서인을 몰아내고 재집권한 사건) 와중에 세자 책봉을 반대하는 상소를 올렸다가 숙종肅宗에 의해 제주도로 유배되고 말았다. 그러다가 그해 6월 국문을 받기 위해 서울로 압송되어 오던 중 사약을 받고 죽었다. 당시 국문을 반대한 남인 민암閔黯은 그 이유를 다음과 같이 임금에게 고하였다.

"송시열의 죄는 이미 드러났으니, 굳이 국문을 할 필요가 없습니다. 또 조종조祖宗朝에도 대신을 국문한 일은 결코 없습니다. 송시열의 죄가 극악해도 대신의 반열에 있었으니, 전하께서 대신들에게 의견을 물어서 처분하시는 것이 좋겠습니다."

그의 말은 국문을 하지 말고 올라오는 길에 죽여 버리자는 것이었다. 숙종 역시 그의 생각과 같았다.

"대신들의 뜻이 이와 같고, 그의 죄악은 국문하지 않아도 이미 드러났으니 도사가 약을 가지고 가다가 그가 나타나면 바로 사사하라."

다시 민암이 "전지는 어떻게 했으면 좋겠습니까?"라고 묻자 숙종은 "전지 속의 국문鞫問이라는 글자를 사사賜死로 고쳐라"라고 하였다.

결국 송시열은 전라도 정읍에서 맨땅에 거적 한 장만 깐 채 사약을 받았다. 이에 제자들이 자리가 누추하니 바꾸는 것이 좋겠다고 권유하자 그는 이렇게 말하였다고 한다.

"우리 선인先人(돌아가신 아버지)께서는 돌아가실 때 이만한 자리도 깔지 못하셨네."

그때가 1689년 6월 8일 아침, 그의 나이 83세였다.

그는 기호학파 사대부로부터 공자나 맹자처럼 송자宋子란 칭호를 받을 만큼 당대 최고의 권위를 누렸다. 하지만 그의 생애는 그리 순탄치 않았다. 이는 그가 살았던 시대가 그만큼 정치적 격변기로 불확실성의 시대였기 때문이다.

그런 까닭에 그는 아내의 임종은커녕 장례식조차 함께 할 수 없었고 사위의 마지막 모습도 볼 수 없었다. 그때마다 유배지에서 고난의 세월을 보

내고 있었기 때문이다. 이에 아내 이씨의 부음을 전해 들었을 때도 마음을
담은 슬픈 제문 한 장으로 대신할 수밖에 없었다.


　숭정 정사년(1677년, 숙종 3년) 오월 초나흘 형벌을 기다리는 사람 은진
송시열은 망실 이씨의 영구가 조정의 의논이 급박한 까닭으로 길일吉日을 미
처 가리지 못하고 급히 유성儒城 산기슭에 권조權厝(임시로 관을 가매장 해 안치하
는 일)한다는 소식을 듣고 멀리서 제전의 찬구를 보내어 작은 손자 회석晦錫
을 시켜 영구 앞에 대신 고하게 하옵니다.

　아, 나와 당신이 부부의 인연을 맺은 지 53년이 지났습니다. 그 동안 가난
함에 쪼들리어 거친 밥도 항상 넉넉하지 못하여 손발이 다 닳도록 고생하던
그 정상은 이루 다 말할 수 없습니다. 그리고 내가 쌓은 앙화殃禍 때문에 아
들딸이 많이 요절하였으니, 그 슬픔은 살을 도려내듯이 아프고 독하여 사람
으로서는 견디어낼 수 없는 일이었습니다. 게다가 근세近世에 이르러서는 내
가 화를 입어서 당신과 떨어져 살아온 지가 벌써 4년이 되었습니다.

　때때로 나에게 들려오는 놀랍고 두려운 일들 때문에 마음을 녹이고 창자
를 졸이면서 두려움에 애타고 들볶이던 것이 어찌 끝이 있었겠습니까. 끝내
몸이 지쳐 병에 걸려서 이 지경에 이르렀으니, 그 처음과 끝은 따져보면 나로
부터 비롯되지 않은 것이 없습니다. 타고난 운명이 좋지 않아서 이같이 어질
지 못한 사람과 짝이 되었으니, 당신이야 나를 원망하지 않는다고 하더라도
내 어찌 부끄러운 마음을 이겨낼 수 있겠습니까.

　지난해부터 빨리 가서 만나보고 싶었지만 뭇 의논에 저지되어 문득 다시

머뭇거리면서, 혹 시의時議가 차츰 누그러지고 목숨이 조금 늦추어지면 서로 만나서 편히 지낼 그날이 있을 것 같기에 왕복한 편지 내용이 모두 이에 대한 일이었는데, 이와 같은 뜻을 마침내 저버렸으니, 더욱 눈을 감기 어려웠을 것입니다.

지난번 흉보凶報를 받았을 때 급히 자손들에게 명하여 만의萬義에 장사를 지내서 자부子婦와 서로 의지할 수 있게 하라고 하였더니 갑자기 이처럼 시세가 급박하여 또한 계획대로 되지 않았고 이것 또한 한 가지 불행이라 하지 않을 수 없습니다. 그러나 시인들의 논죄가 바야흐로 극에 달하였고, 바다의 장기瘴氣가 몸을 매우 괴롭히므로, 이 생명이 끝나는 것도 아침이 아니면 저녁일 것입니다. 나의 자손과 여러 아우들은 마땅히 나의 뼈를 고향 산에 묻어줄 것이고 또한 당신도 마땅히 옮겨서 나와 합장合葬해줄 터이니, 살아서는 떨어져 있었으나 죽어서나마 함께 살 수 있는 때가 바로 그때일 것입니다. 이밖에 또 무슨 말이 필요하겠습니까.

아, 현재 떠도는 소문이 매우 패악悖惡스러우니 당신이 만약 세상에 살아 있더라도 어떻게 이처럼 망극함을 견뎌내겠습니까. 그렇다면 먼저 돌아가서 캄캄하게 아무것도 모르는 것이 도리어 나중에 죽을 사람의 부러움이 될 것입니다.

아, 또한 그렇습니까. 또한 평일에 잘 생각하던 것처럼 지하에서도 가슴을 치며 안절부절못합니까.

아, 일이 창졸간에 나왔고 떠날 사람의 출발 시간이 임박했으므로 뜻은 무궁하나 말을 다하지 못하였습니다. 오직 당신은 어둡지 않을 터이니, 나의 슬픈 정성을 살펴주시오.

아, 애통하고 또 애통합니다.

-《송자대전》권153


집은 갈 수조차 없는 먼 곳에 있고, 들리는 소문은 흉흉하기 이를 데 없는데, 몸은 병들고, 사랑하던 아내마저 죽고 말았다. 한때는 하늘을 나는 새도 떨어뜨린다는 권력을 지녔던 그였으니 정적들은 또 얼마나 많았겠는가. 그때마다 그의 아내는 가슴 졸이며 좌불안석의 삶을 살았으리라. 그런 아내가 죽었음에도 아내의 빈소조차 찾지 못한 채 손자를 보내 제문을 올리는 그 심정은 과연 어땠을까. 하늘이 무너지고 땅이 무너진 것이 이보다 더할까.

그대의 목소리, 그대의 얼굴을 언제나 잊을 수 있겠는가.

기뻐하던 시기는 어찌 그리 짧고, 슬퍼해야 할 시간은 왜 이리도 길다는 말인가.

# 꿈속에서라도 한 번 만났으면

이시발 | 측실 이씨 영전에 바치는 제문祭側室文

조선 중기의 문신 벽오碧梧 이시발李詩發은 문신으로서는 드물게 임진왜란과 정유재란, 이괄의 난 등 내우외환의 위기에 전장에서 많은 공로를 세워 감사와 판서를 두루 역임했고 사후 영의정에 추증된 인물이다.

1609년(광해군 1년) 그는 평소 아끼던 측실 이씨가 죽자 안타까운 심정으로 애달픈 제문을 짓는다. 측실 이씨는 덕수 이씨로 신사임당의 손녀이자 율곡의 동생 옥산玉山 이우李瑀의 딸이었다.

제문에는 측실 이씨에 대한 그의 지극한 사랑과 안타까움이 가득 담겨 있어 읽는 이의 가슴을 절절하게 만든다.

만력 37년(1609년, 광해군 1년) 7월 13일 영옹穎翁(이시발의 호)은 죽은 측실 이 낭자李娘子의 영혼에 고합니다.

아, 슬프고 슬프다. 나를 버리고 그대는 어디로 갔는가. 내 그대에게 항상 이르기를 "그대는 나보다 열여섯 살이 적으니 반드시 나보다 뒤에 죽을 것일세"라고 하면, 그대는 꼭 대답하기를 "제가 먼저 죽어야 합니다"라고 하였지. 그런데 그대는 진실로 나보다 먼저 죽었구려. 죽고 사는 것이나 수명이 길고 짧은 것은 모두 운명에 달렸으니, 인력으로 어쩔 수 없지. 하지만 왜 이리 슬프단 말인가. 목이 막혀 말이 나오지 않네.

오호라, 내가 옛날에 후사를 위해 측실을 구할 때 그대의 자태에 반해 거의 반 년 동안을 잊지 못했었네. 그러다가 마침내 그대의 부모로부터 허락을 받고 그대를 데리고 왔었지. 그때 나는 그대의 뜻과 행동 그리고 총명한 재질과 정숙한 바탕을 보며, 평범한 집안의 규수와는 다르다고 생각했었네. 진실로 그대는 시부모에게 공손하고 남편에게 정성을 다하였으며 형제와 우애하니, 이 모두가 타고난 천성이 아닌 것이 없었네.

그 밖에도 그대는 문장이 해박하고 거문고와 바둑도 능하였으며 자수刺繡도 잘하였고 글씨와 그림에도 조예가 깊었으니, 내가 그대를 특히 사랑한 것이 어찌 그대의 외모가 아름답기 때문이겠는가.

─《벽오유고碧梧遺稿》

이시발은 아내를 맞자마자 지방관으로 곧 나가게 되었다. 그는 성주목사와 경주부윤을 거쳐 함경도 감사로 부임했다가 다시 평양감사로 자리를 옮겼다. 무려 11년이나 외직으로 돌아다닌 것이다. 하지만 그 동안에도 그의 아내는 그를 따라 묵묵히 객지를 떠돌며 괴로움과 즐거움을 함께 나누었다.

언젠가 그가 아내에게 다음과 같이 말했다.

"당신은 아직 젊고 나는 늙었으니 언젠가는 내가 없는 세상에 오래도록 그대 혼자서 살아야 할 것이네."

그런데 뜻 밖에도 아내가 먼저 타향에서 죽고 말았다. 아내의 소원은 고향으로 돌아가 편히 사는 것이었는데 끝내 그 소원을 이루지 못하게 된 것이다.

그에 앞서 아내가 아이를 낳던 날 저녁 친정아버지의 부음이 들려왔다. 그러나 효성이 지극한 아내가 만일 그 소식을 들으면 충격으로 인해 건강을 해칠까 두려워 기운이 회복된 뒤에 알리려고 미루어 왔다. 이에 아내는 친정아버지의 부음조차 모른 채 죽고 말았으니, 그 슬픔이 더욱 컸다.

아내의 병이 위중할 때 이시발은 마침 중국에서 오는 사신을 접대하라는 왕명을 받아 아내 곁을 지키지 못했다. 결국 아내의 병구완을 정성스레 하지 못한 것이 끝내 잊지 못할 한이 되고 만 것이다.

그 날 이시발이 먼 길을 떠나게 되었을 때 아내는 다시 일어나지 못할 줄 알았는지 눈물을 흘리며 그의 손을 잡고 이렇게 호소하였다고 한다.

"이제 다시는 못 뵙겠군요." 이에 그는 눈물을 삼키며 아내를 위로하였다. 그런 가슴 절절하고 서러운 이야기를 풀어놓은 그의 제문은 다음으로 이어진다.


아아, 슬프기 그지없네. 오늘의 이 슬픔은 너무 참담할 뿐이네. 내가 그대 곁을 떠난 지 사흘 만에 그대는 죽고 말았네. 나는 도중에 그대의 부음을 전해 받았지만 돌아올 수 없었네. 그래서 장례를 치르는 모든 절차가 그대도 알지 못하는 다른 사람에 의해 행해지고 말았네. 어찌 이런 일이 있으리라고 상상이나 했겠는가. 생전의 모든 애통함이 이처럼 맺히고 맺혔는데, 언제나 이 슬픈 마음이 풀릴 수 있겠는가. … (중략) …

아아, 이렇게 끝난단 말인가. 그대의 낭랑한 목소리를 다시는 듣지 못하게 되었단 말인가. 아름답던 그대의 얼굴을 이제 다시는 보지 못하게 되었네. 그대의 목소리가 귓가에 들리는 듯하고, 그대의 얼굴이 눈앞에 어른거려서 애달프기가 한이 없네. 그대의 목소리, 그대의 얼굴을 언제나 잊을 수 있겠는가.

이제는 오직 바라기를 꿈속에서라도 그대를 한 번씩 만났으면 싶네. 하지만 한참이 지났건만 한 번도 꿈속에 나타나지 않네. 무정하여서 그런가, 바람처럼 떠도는 영혼이 갈 곳을 몰라서 그런가.

아아, 지난 10년의 사랑이 한 순간인 것 같은데 슬픔은 한평생 동안 남아 있을 것 같네. 기뻐하던 시기는 어찌 그리 짧고, 슬퍼해야 할 시간은 왜 이리도 길다는 말인가.

'죽으면 서로 만날 수 있다'는 옛사람의 말이 있네. 그 말이 진정 거짓이 아니고 사실이라면 얼마 지나지 않아 그대를 다시 만날 수 있을지도 모르겠네. 누군가가 말했지. '인연이 있으면 새로운 세상에서 다시 맺어질 수 있다'고. 우린 정녕 다시 맺어질 기약이 있을까.

아아, 그런 일은 일어나지 않을 것이네. 다만 큰 소리로 한 번 외치면서, 이

가없는 정을 호소해보네. 슬프고도 애통하네.

-《벽오유고》

 누군가의 말처럼 '죽음이란 단지 끝일 뿐' 결과는 아니다. 그러나 죽음
은 우리가 미처 준비하기도 전에 예고도 없이 찾아온다.
 꿈속에라도 한 번 찾아오기를 간절히 염원하는 산 사람의 기막힌 그리
움에 죽은 자는 아무런 신호도 보내지 않는다.
 기뻐하던 시간은 왜 그리 짧았으며, 슬퍼해야 할 시간은 어찌 그리 길다
는 말인가.

미천할 때 가난을 함께 하면서

나의 벼슬 높기만을 빌더니만

벼슬하자 그대는 벌써 죽어 없어졌으니

추봉追封의 은총만 부질없이 내려졌네

서러움에 눈물만 줄줄 흐르누나.

# 서러움에 눈물만 줄줄 흐르누나

허 균 | 망처 숙부인 김씨 제문과 행장亡妻祭文, 亡妻淑夫人金氏行狀

허균은 그의 나이 열일곱이었던 1585년(선조 18년) 초시에 급제한 후 안동김씨 김대섭金大涉의 둘째 딸과 결혼을 한다. 그러나 스물네 살이었던 1592년(선조 25년) 임진왜란을 피해 피난 중이었던 부인 김씨가 함경도 단천에서 첫아들을 낳은 지 사흘 만에 세상을 떠나고 만다. 산후조리를 제대로 하지 못했기 때문이다. 그런 아내를 허균은 몹시 사랑했었다고 한다. 오죽하면 그의 형 허봉許篈이 애처가라며 놀리기까지 했을 정도였다. 하지만 그토록 사랑했던 아내가 젊은 나이에 갑작스레 죽고 말았으니 그 마음이 오죽 아팠을까.

다음 제문과 행장을 보자. 가슴 깊이 묻어두었던 아내에 대한 사랑과 그리움을 절절하고 슬픈 언어로 토해내고 있는 허균의 슬픈 눈망울이 어렴풋이 보이는 듯하다.

## 망처亡妻 제문祭文

오직 부인은 본성이 공경스럽고 정성스러웠고

그 덕은 그윽하고 고요하였네

일찍이 시어머니 섬길 때

시어머니 마음은 몹시도 기뻤다네

죽어서도 시어머니 따라

이 산에 와서 묻히는구려

휑뎅그렁한 들판 안개는 퍼졌는데

달빛 쓸쓸하고 서리도 차구려

의지 없는 외로운 혼은 훗날 그림자 얼마나 슬프겠는가

십팔 년을 지나서

남편 귀히 되어 높은 벼슬에 오르니

은총으로 추봉라는

조서가 내려졌네

미천할 때 가난을 함께 하면서

나의 벼슬 높기만을 빌더니만

벼슬하자 그대는 벌써 죽어 없어졌으니

추봉追封의 은총만 부질없이 내려졌네

어찌하면 영화를 같이 누릴고

내 마음 하염없어라

아마도 그대 넋 알음이 있다면

그대 또한 눈물을 줄줄 흘리리

녹으로 내린 술 한 잔 들구려

서러움에 눈물만 줄줄 흐르누나.

-《성서부부고惺所覆瓿藁》권15

## 망처亡妻 숙부인淑夫人 김씨金氏 행장行狀

부인의 성은 김씨요, 서울의 대성이다. 고려조 정승 방경方慶의 현손인 척약재 구용九容은 고려 말 이름을 떨쳤고, 벼슬이 삼사 좌사左使에 이르렀다. 그 4대손인 윤종胤宗은 무과에 급제하여 벼슬이 절도사였고, 그 아들 진기震紀는 경자년에 사마시에 합격, 별제로 첫 벼슬에 나아갔다. 그리고 그가 휘 대섭大涉을 낳으니 그 또한 계유년 사마시에 합격, 도사로 첫 벼슬에 나아갔다. 이후 관찰사 심공沈公 전鈴의 딸에게 장가를 드니 부인은 바로 그 둘째딸이다.

융경 신미년(1571년, 선조 4년)에 태어나 나이 열다섯에 우리 집에 시집왔다. 성미가 조심스럽고, 성실하고도 소박하여 꾸밈이 없었으며 길쌈하기에 부지런하여 조금도 게으름이 없었고, 말은 입에서 내지 못하는 듯이 하였다. 모부인母夫人 섬기기를 매우 공손하게 하여, 아침저녁으로 반드시 몸소 문안드리고, 음식을 드릴 때 꼭 맛을 보고 드렸다. 또 철따라 제철 음식을 푸짐하게 대접했다.

종들을 엄격하게 다루었지만 잘못을 너그럽게 용서해주었고 욕지거리로 꾸짖지 않으니 모부인께서 칭찬하시기를 "참으로 어진 며느리로다"라고 하셨다. 내 한창 젊은 나이에 부인에게 압류押留하기를 좋아하였지만 싫은 기색을 얼굴에 나타낸 적은 거의 없었으며, 어쩌다 내가 조금이라도 방자하게 굴면 문득 말하기를 "군자의 처신은 마땅히 엄중해야지요. 옛사람은 술집, 다방에도 들어가지 않는다던데, 하물며 이보다 더한 짓이겠어요?"라고 하였으므로, 내 그 말을 듣고 마음으로 크게 부끄러워 조금이나마 다잡음이 있었다. 그리고 항상 내게 부지런히 글공부하기를 권하여 "장부가 세상에 나서 과거에 급제하여 높은 벼슬에 올라 어버이를 영화롭게 하고, 제 몸을 이롭게 하는 사람도 많습니다. 당신은 집이 가난하고, 시어머님은 늙어 계시니 재주만 믿고 허송세월하지 마십시오. 세월은 빠르게 흐르니 뉘우친들 어찌 뒤따를 수 있겠습니까?"라고 하였다.

임진년(1592년, 선조 25년) 왜적을 피하던 때는 마침 태중胎中이어서 지친 몸으로 단천까지 가서 7월 7일에 아들을 낳았다. 나는 이틀 후 왜적이 갑자기 몰아닥치자 순변사 이영李泳을 대신해 마천령磨天嶺을 지키게 되었다. 그리하여 어머니를 모시고 그대를 이끌고서 밤을 새워 고개를 넘어 임명역에 이르렀는데, 그대는 지쳐서 아무 말도 하지 못하였다. 그때 동성同姓인 허행이 우리를 맞아 해도海島에 피란하였으나 머물 수가 없었다. 억지로 산성원 백성 박논억朴論億의 집에 이르러 10일 저녁 숨을 거두매, 소 팔아 관을 사고, 옷을 찢어 염殮을 하였으나, 오히려 체온이 따뜻하므로 차마 묻지 못하였는데, 갑자기 왜적이 성진창城津倉을 친다는 소문이 들리므로 도사공이 급히 명하여 뒷산에 임시로 묻으니 그때 나이 스물둘로 같이 산 지 여덟 해였다.

아, 슬프다. 그 아들은 젖이 없어 일찍 죽고, 첫딸은 잘 자라서 진사 이사성李士星에게 시집 가 아들 딸 하나씩을 낳았다.

기유년(1609년, 광해 1년)에 내가 당상관堂上官으로 승직하여 형조참의로 임명되니 예에 따라 숙부인으로 추봉되었다. 아, 그대 같은 맑은 덕행으로 중수中壽도 못한데다가, 뒤를 이을 아들도 없으니, 천도天道 또한 믿기 어렵다. 바야흐로 우리 가난할 때, 당신과 마주앉아 짧은 등잔 심지를 돋우며 반짝거리는 불빛에 밤을 지새워 책을 펴놓고 읽다가 조금 싫증을 내면 당신은 반드시 농담하기를 "게으름 부리지 마십시오. 나의 부인첩夫人帖이 늦어집니다"라고 하였는데, 18년 뒤에 한 장의 빈 교지를 궤연(영좌靈座)에 바치게 되고 그 영화를 누릴 이는 나와 귀밑머리 마주 푼 짝이 아닐 줄을 어찌 알았겠는가. 당신이 만약 앎이 있다면 반드시 슬퍼하리라.

아, 슬프다. 을미년(1595년, 선조 28년) 가을 길주에서 돌아와 또한 강릉 외사外舍에 묻었다가, 경자년(1600년, 선조 33년) 3월에 선부인을 따라 원주 서면 노수蘆藪에 영장永葬하니, 그 묘는 선산 왼쪽에 있으며 인좌 신향이다. 삼가 행적을 적노라.

−《성서부부고》권15


조선의 선비들은 사랑하는 이들을 잃은 슬픔을 좀체 겉으로 드러내는 법이 없었다. 슬픔을 애써 삭이며 마음속으로만 울어야 하는 절제를 미덕으로 삼았기 때문이다. 하지만 가슴속에 똬리를 튼 애통함을 어찌할까. 삶의 반려자를 먼저 떠나보낸 딸깍발이들은 글자 한자 한자에 애달픔을 녹였다. 조선이니 유교니 하는 말을 완고하고 억압적인 가부장제와 동일시하기 십상인 우리에게 색다른 글들이 아닐 수 없다.

이제 그대는 상여에 실려 저승으로 떠나니, 나는 남아 혼자 어이 살리.

상여소리 한 가락에 구곡간장 미어져 길이 슬퍼할 말마저 잊었다오.

# 상여소리 한 가락에 구곡간장 미어져

권문해 | 아내 현풍 곽씨 영전에 올린 제문祭亡室淑人郭氏文

 

 

초간草澗 권문해權文海는 스무 살 되던 1553년(명종 8년) 스물네 살의 현풍곽씨 곽명郭明의 외동딸을 아내로 맞았다. 하지만 애석하게도 부부 사이에 후사가 없었다. 그러다가 그가 마흔아홉 되던 해 갑자기 아내가 죽고 만다. 아내가 세상을 뜨자 그는 90일장을 지냈다.

30년을 부부로 살며 괴로움과 슬픔, 즐거움을 함께 나누었던 아내가 세상을 떠나자 피눈물을 흘리며 쓴 제문에는 사무치는 그리움과 서러움이 가득 담겨 있다.

본디, 부부란 하늘이 정하여 마련하는 바이며, 오륜의 첫째로 생민生民의 비롯이요, 만복의 근원이라 하는 바이니 인륜人倫에서 가장 소중한 것이외다.

내 나이 스물이요, 그대의 나이 스물네 살 때 하늘이 우리를 짝지어주셨으매, 그때가 계축년 2월이었소. 그대는 엄전한 모습과 아름다운 덕을 지녀 집안을 화평하게 하고, 부녀의 도리를 다하였소. 해서 우리가 부부로 맺어진 이래 그대가 짜증을 부리거나 시샘하는 것을 30년 간 단 한 번도 보고 듣지 못하였소.

오호, 서러워라. 나는 맏아들이요, 그대는 외동딸로 나이 쉰이 다 되어 귀밑머리가 희어지도록 유자유녀有子有女 아들딸 두기를 바랐지만 한 아이도 보지 못하였소. 조용히 하늘의 이치를 헤아리니, 나무도 열매가 있고, 풀포기도 씨앗이 있으며, 물고기도 새끼를 치고, 메뚜기도 알을 까는데, 어찌하여 하늘은 우리에게 은혜를 베풀지 아니하여 후사를 걱정하게 하셨는지. 그대와 마주앉아 허전한 무릎이 텅 비어 외로운 것을 탄식하며 하늘을 원망하기도 했었소.

아아, 그러나 옛 속담에 자식을 두지 못한 이는 수壽를 누린다고 하기에 오래도록 해로할 줄로만 믿었더니 어찌하여 조그만 병을 못 이기어 갑자기 세상을 버리셨소. 나이 쉰을 넘었으니 짧았다고는 못하려니와 여든 노모가 계신데 어찌 미리 떠난다는 말이오. 이제 아침저녁 어머님 봉양과 맛있는 음식 받들기는 누가 할 것이며, 어머님이 돌아가신 뒤에는 누가 있어서 어머니의 초종初終을 치를 것이오. 생각이 여기에 미치니 하염없이 눈물이 샘솟는구려.

나무와 돌은 풍우에도 오래 남고, 가죽나무와 상수리나무 또한 예전 그대로 아직 살아 저토록 무성한데 그대는 홀로 어디로 간단 말이오. 서러운 상복을 입고 그대 영궤를 지키고 서 있으니 둘레가 이다지도 적막하여 마음 둘 곳이 바이없소. 아들이라도 하나 있었더라면 날이 가면서 성장하여 며느리도 보고 손자도 보아 그대 앞에 향화香火가 끊이지 않을 것을.

오호, 슬프다. 저 용문산 아버님 산소 곁에 터를 잡아 그대를 장사 지내려 하오. 그곳 골짜기는 으슥하고 소나무는 청청히 우거져 바람소리 맑으리라. 그대는 본시 꽃과 새를 좋아했으니 적막산중 무인고처에 홀로 된 진달래가 벗이 되어 드릴 것이오. 거기서 그대는 시아버님을 모시겠지요. 친정아버님의 무덤이 멀리 상주尙州에 있다고 너무 걱정하지 마시오. 부녀의 삼종지도는 이승과 저승이 달라져도 마찬가지이며, 상주와 이곳 예천은 혼백이 왕래하기에 그다지 멀지 않으니, 넋이 서로 만남은 물이 흘러감에 상류와 하류가 서로 이어지는 것과 같을 것이외다. 이제 그대가 저승에서 추울까 봐 어머님께서 손수 수의를 지으셨으니 이 옷에는 피눈물이 젖어 있어 천추만세千秋萬世를 입어도 해지지 아니하리다.

오호, 서럽고 슬프다. 사람이 죽고 사는 것은 우주에 밤과 낮이 있음과도 같고 사물의 시작과 마침이 있음과 다를 바 없는데, 이제 그대는 상여에 실려 저승으로 떠나니, 나는 남아 혼자 어이 살리. 상여소리 한 가락에 구곡간장 미어져 길이 슬퍼할 말마저 잊었다오.

-《초간일기草澗日記》


임을 여읜 슬픔이 어찌 이다지도 깊으랴. 흐르는 물위에 노란 은행잎이 떨어지고 해가 뜨지 않은 아침녘의 초간정草澗精은 쓸쓸함으로 가득하다.

초간정은 권문해가 벼슬을 그만두고 고향 예천으로 낙향하여 금곡천 변에 지은 정자이다. 하지만 안타깝게도 그의 아내는 초간정을 지은 그 해에 세상을 떠나고 말았다.

권문해는 강직한 사람이었지만 다정다감한 성품을 지녔었다고 한다. 이에 《초간일기草澗日記》에는 아내의 죽음 이후 한동안 깊은 슬픔에 빠져 날마다 울며 보내느라 일기를 쓸 겨를조차 없었다는 기록이 남아 있다.

아무것도 모른 채 방에서 놀고 있는

어리고 철없는 두 딸은 누가 돌보며, 시집갈 때 누가 그 짐을 꾸려 주리오.

# 어리고 철없는 두 딸은 누가 돌보며

김종직 | 아내 숙인 조씨 영전에 바치는 제문祭亡妻淑人文

점필재佔畢齋 김종직金宗直은 사림의 조종祖宗으로 문장과 사학史學에 두루 능했고, 절의를 중요시하여 도학道學의 정맥을 이은 중추적인 역할을 한 인물이다. 그의 도학사상은 제자인 김굉필金宏弼과 정여창鄭汝昌, 유호인兪好仁 등에게 이어졌는데, 김굉필은 사림파의 영수 조광조趙光祖를 통해 그의 학통을 그대로 계승시켰다.

그의 도학사상이 이어질 수 있었던 것은 그가 추구했던 학문이 화려한 시문, 즉 부·송 등의 문장보다는 궁극적으로 정의를 숭상하고, 시비를 분명히 밝히려는 의리적義理的인 성격을 지니고 있었기 때문이다.

그는 정의와 의리를 숭상하고 실천하였고, 그와 같은 정신은 제자들에게 그대로 이어졌다. 그런 까닭에 자연히 사림학자들로부터 존경을 받았고 그들의 정신적인 영수가 되었다. 하지만 그 역시 한 여자의 연약한 지아비로서 아내가 죽자 슬픔과 그리움을 가득 담은 제문을 지었다.

　모월 모일에 부夫 김종직은 삼가 술과 제물을 갖추어 감히 망실 조씨 숙
인의 영에 고하나이다.

　아, 숙인이여! 어찌 이다지도 빨리 나를 버리는가. 백 년을 기약했더니 겨
우 삼분의 일이로세. 30년 동안 부부생활이 하루아침에 영결이란 말인가.
지난 일을 곰곰이 생각하면 어찌 차마 말로 다하리오.

　아, 슬프다. 그대는 명문에서 태어나서 나 같은 선비의 짝이 되었네. 유순
하고 어질고 너그럽고 인자하며, 마음속에는 척도가 있었네. 선비先妣(돌아
가신 어머니)를 공경히 받들며 늦게는 더욱 화락하니, 선비께서는 항상 말씀
하시기를 "우리 며느리는 추상할 만하다"고 하셨네. 나의 자매들도 의가 좋
아 서로 화합하여 올케와 시누이 사이가 한 번도 거슬림이 없었네. 고향이
나 친척들에게도 편벽되게 누구를 좋아하고, 누구를 싫어하지 않았으니,
덕은 어찌 이처럼 오롯한데 수명은 어찌 이처럼 갖추지 못했는가.

　아, 슬프다. 내 천성이 구졸鳩拙(힘들고 어려워도 편안히 거함)하여 양식이 항상
떨어졌는데, 그대 역시 가난을 잘 견디고 이익에 뜻을 두지 아니하며, 허름
한 음식과 궂은 옷으로 시종이나 다름없었네. 제사나 손님 접대에는 의물
儀物을 반드시 갖추고, 시고 짠 것을 좋아하여 콩잎국도 맛있게 만들었네.
그대는 맹광孟光(남편을 지극히 섬겨 밥상을 눈썹 높이까지 올려 바쳤다는 양홍의 처)과
시상柴桑(도연명이 살았다는 산)의 척씨翟氏(도연명의 아내)를 닮았으니 나는 깊이
의지했었네. 벼슬을 그만두고 산에서 나무하고, 물에 가서 고기 낚아, 늘그

막에 서로 의지하여 여생을 보전하려 했더니, 이게 웬일인가.

아, 슬프다. 그대는 세상에 와서 한 번도 좋은 시절을 보지 못하고 고생만 하다 갔네. 한 돌이 채 못 되어 어머니가 돌아가시자, 외종조 내외분이 어린 당신을 길렀네. 출가하기 전에 여러 차례 의지를 잃고 외조모를 따라 여자가 지켜야할 도리를 배웠네. 외조모 돌아가신 뒤 그 침통함을 어이 견뎠나.

내 집에 들어와서도 좋은 일, 궂은 일이 겹쳐서 일어났지만, 즐거운 일 눈가에 차지 않고 화를 입은 것은 유난히 컸네. 두 번 삼년상을 지내는 동안 정성을 다해 제사를 받들었네. 도를 듣지 못한 나를 만나 온갖 귀신이 장난을 하여 2녀 5남을 연거푸 여의니, 그대는 오장이 찢어져서 본병이 다시 발작했네.

아, 슬프다. 그대의 병은 산후에 생긴 것으로 풍사風邪와 혈독血毒이 가슴 속에 뭉쳐 다니다가 10년 동안 약으로 다스려 적취된 것은 녹아났네. 간혹 다시 발작했지만 그 증세는 대단하지 않았고, 오래되면 의당 없어지고 거의 회복되었기에, 드디어 그대로 두고 치료에 힘쓰지 않았더니, 끝내 그 병으로 세상을 마쳐 나로 하여금 부끄럽게 하였네.

아, 슬프다. 그대 부친 강건하여 당상堂上에 계시는데 좋은 때 아름다운 날에 누가 술을 마련하며, 아무것도 모른 채 방에서 놀고 있는 어리고 철없는 두 딸은 누가 돌보며, 시집갈 때 누가 그 짐을 꾸려 주리오. 그대의 동생들은 모두 저렇듯 건강한데 오직 당신만이 없으니 수염을 그슬려가며 끓인 죽을 누굴 위해 맛보리. 정제庭除(뜰)에 가득 찬 노비가 그늘을 잃어 의지할 곳 없으며, 좌우 사환들은 누가 주장하며, 집을 새로 지어 못도 있고 정원도 있는데, 그대는 머물러주지 아니하니, 누구와 더불어 주선하리요.

아, 슬프다. 적막한 서쪽 창은 그대가 살던 데라 이부자리와 세수 기구를 평시같이 벌여놓고, 음식을 대접하는 것도 역시 편의를 따랐네. 그러나 그대는 옛날에 아이를 많이 낳았어도 하나도 제대로 기르지 못했으니, 집상執喪할 자식 그 누구이랴.

이제 다 그만이다. 나는 병을 칭탁하여 사직하고 일 년 복을 입으려 했는데, 그릇되게 임금의 은혜를 입어 약을 내려 치료하게 하시니, 은명恩命을 저버릴 수 없어 장차 서울로 가게 되었네. 그대의 장사葬事에는 내가 장차 돌아오리다. 유명幽明이 간격이 없으니 응당 내 서러움을 알걸세. 아, 슬픈 일이다.

미곡米谷의 벌에 송추松楸가 울창한데 옥과玉果의 양룡兩龍이 있어 그 가운데 그대를 안장했네. 그대의 모친과 아들은 양룡 동쪽에 있네. 그대의 유택은 섣달에 경영키로 했으니, 구천九泉에서나마 가족들이 모이게 되면 그 즐김이 무럭무럭 하리라. 아, 죽은 자는 그렇거니와 산 사람은 누구를 따른단 말인가. 술을 부어 고하노니 슬픈 마음 다함이 없네.

아, 슬프기 그지없다.

－《점필재집佔畢齋集》


너무도 애절한 글이다. 지엄한 선비에게 어떻게 이런 곡진한 정이 숨어 있었을까. 수백 년 전의 글임에도 애도의 염이 간절해 가슴을 저미게 한다. 생육신 중 한 사람인 추강秋江 남효온南孝溫의 문집 《추강냉화秋江冷話》를 보면 다음과 같은 글이 있다.

"점필재佔畢齋(김종직의 號) 선생이 상주 노릇을 하는 3년 동안 조석朝夕 상식上食에 곡을 할 때면 지나가는 사람이 듣고 눈물을 흘리지 않는 사람이 없었다."

예나 지금이나 주변에 항상 있는 것들에 대한 가벼움은 여전하다. 그러나 가고 나면, 사라지고 나면 그 존재의 의미는 땅만큼 하늘만큼 커져온다. 마치 그것이 진리라도 되는 듯.

눈을 감아도 잠이 없어 오래도록 멀뚱거리네

어떻게 이 춥고 기나긴 밤을 보내리.

# 눈을 감아도 잠은 오지 않고

강희맹 | 아내 순흥 안씨의 죽음을 애도하며 伍更歌

1482년 임인년 겨울, 강희맹은 사랑하던 부인 순흥 안씨가 죽자 애도의 마음으로 '밤새 슬피 부르는 노래 다섯 편'이라는 〈오경가伍更歌〉를 지어 규방閨房의 벽에 붙여놓았다.

초경 인정人定 쇠에 주위가 조용한데
눈을 감아도 잠이 없어 오래도록 멀뚱거리네
앉았다 누웠다 신음하며 여윈 몸 일으키니
어떻게 이 춥고 기나긴 밤을 보내리.

이경에 자려 해도 잠은 오지 않아
잠을 청하려고 억지로 두세 잔을 마시네

만 가지 생각이 번거롭게 일어나 더욱 어지러우니
상반되는 일이 마음에 걸려 견디기가 어렵네.

삼경에 잠 못 들어 턱을 괴고 앉았는데
등불 그림자는 경고更鼓소리 드무네
구부정하게 기댄 채로 한밤을 지내며
창을 밀치고 옮겨가는 은하수를 자주 보네.

사경에도 오히려 침상에 무릎 붙이지 못하는데
깊은 아픔은 끝없이 내 창자를 짓누르네
천지가 다함이 있어도 시름은 다하지 않으니
진실로 병이 아님을 아는 것이 또한 깊은 병이네.

오경의 닭 울음소리에 종소리도 따라 우는데
일어나 이불 안고 앉아서 날을 새우네
아침이 온다고 해서 시름이 사라지는 것 아니니
시름은 밤의 어두움으로 인해 더욱더 깊어지네.

-《사숙재집》권1〈오경가五更歌〉

떠난 아내를 그리는 슬픔이 마치 풍경화처럼 아름답게 펼쳐지는 글이
다. 더불어 생전에 살갑게 대해주지 못한 데 대한 회한과 그리움, 혼자 남

은 외로운 심사와 텅 빈 방을 홀로 지키는 고독함이 묻어 있다.

이를 두고 중국의 어떤 이는 그 슬픔을 뭉치고 뭉쳐 다음과 같이 표현하기도 했다.

저 가을 산을 어떻게
혼자 넘지
그대와 둘이서도
그렇게 힘들었는데….

떠난 사람의 빈자리가 유독 커보이는 것은 바로 이 때문이리라. 진심은 역시 즐겁고 행복할 때보다 외롭고 슬플 때 가장 잘 드러나는 법이다.

아, 이를 어쩐단 말이오, 어쩐단 말이오.

애타는 슬픔에 마치 정신이 나간 듯하오.

# 눈물만 줄줄 흐를 뿐

변계량 | 아내 오씨를 위한 제문祭亡耦吳氏文

고려 말 조선 초의 학자로 황희와 더불어 뛰어난 문장가였던 변계량卞季良은 이색과 정몽주에게 가르침을 받고, 고려 우왕 때인 1385년 문과에 급제하여 전교, 주부主簿 등을 지냈다. 그리고 조선 건국 후 20여 년간 대제학을 지내면서 수많은 외교 문서를 지었다.

다음은 그가 죽은 아내 오씨를 위해 지은 제문으로 임종도 못 보고 시신만 어루만지는 장면을 묘사하고 있어 구곡간장이 끊어진다.

아, 해로의 기약이 미처 두 해도 되지 않아 이 지경에 이르렀단 말이오. 생각건대, 지난날 친정에 돌아갈 때 용구龍駒(용인의 옛 이름. 훗날 용구현과 치인현이 합쳐져 용인이라는 이름이 만들어짐)의 동쪽에서 아들을 낳아 종통을 잇겠다고 하더니. 어찌 갑자기 이 지경에 이를 줄 생각이나 하였겠소.

아, 이를 어쩐단 말이오, 어쩐단 말이오.

병들었을 때는 약을 쓰지 못했고 죽을 무렵에는 임종도 보지 못하여 한 갓 시신만을 어루만지는 나의 마음이 무너지는 듯하다오. 질병이 있을 때는 보통 사람도 조심하는 법인데, 하물며 아이를 가져서 치료에 힘을 다해야 하는 처지이겠소.

처음에 몸이 아플 때 어찌 일찍이 도모하지 않아서 운명하는 지경에 이르러 나를 이렇게 만든단 말이오. 처음 부고를 받고는 꿈인지 생시인지 분간하지 못했다오. 가슴 아프게 옛일을 생각하니 애타는 슬픔에 마치 정신이 나간 듯하오. 친정에 가지 않았더라면 혹시 이 재앙을 면했을는지, 천지가 장구하지만 나의 한스러움이 다함이 있을는지.

사람이 죽고 살며 장수하고 요절하는 것은 하늘에서 부여받아 절로 정해진 수壽 있는 것으로 만고를 통해 모두 그러했던 것이니, 어찌 약물로 구제할 수 있는 것이며, 어찌 거처 때문에 그러하겠소. 내가 일찍이 글을 읽어 이러한 이치를 밝게 보았으나, 오히려 지금까지 슬퍼서 스스로 위안을 얻지 못한다오.

내가 병이 많은 점을 염려하여 두루 보살펴준 공이 매우 컸는데 이제 누가 주관하고 누가 보살펴서 나를 건강하게 해주겠소. 더구나 백발의 양친께서 생존해 계시는데 갑자기 떠나서 다시 돌아오지 못하게 되었으니, 황천에서 유한遺恨이 있으리라 생각되오.

아, 명인지라 또한 어찌할 수 없으니, 오직 마땅히 … (원문 빠짐) … 차와 떡을 갖추어 올리고 이 제문으로 흠향하길 권하노니, 가슴을 어루만지며 한 번 통곡함에 눈물이 줄줄 흐를 뿐이라오.

아, 영령은 아시오, 모르시오.

－《춘정집春亭集》 권11

어찌 눈길을 돌린다고 지난날들이 그렇게 쉽사리 잊힐 수 있으랴. 고개를 흔들면 흔들수록 눈길을 돌리면 돌릴수록 아내와의 옛일이 되살아나기 마련인 것을.

# 할반지통鼓盆之痛 _ 형제자매의 죽음을 곡하며

할반지통割半之痛 _ '몸의 절반을 베어내는 아픔'이란 뜻으로, 형제자매가 죽은 슬픔을

이르는 말. 임금이나 아버지를 여읜 슬픔은 '천붕지통天崩之痛'이라고 한다.

한 형제로 태어났지만

가는 길은 떨어진 꽃잎처럼

따로따로 흩어져간다는 것이

그 얼마나 서럽고 슬픈 말인가.

# 목이 메어 오열이 터지네

정약용 | 둘째 형 약전若銓을 회상하며寄二兒

조선 역사상 가장 불행했던 선비는 과연 누구일까. 많은 사람들이 있을 것이다. 하지만 그 으뜸은 단연 다산 정약용이 아닐까. 사랑했던 형제들이나 그와 함께 공부했던 사람들 대부분이 세상을 뜬 뒤에도 그의 적들은 그를 향한 칼을 거두지 않았다. 그 세월이 18년간의 유배생활과 집으로 돌아와 산 18년을 합쳐 무려 36년이었다. 이로 인해 다산이 겪을 수밖에 없었던 시련과 절망은 상상 이상이었다.

손암巽菴 정약전丁若銓과 다산 정약용은 네 살 터울의 형과 아우였다. 두 사람은 형제이기에 앞서 학문적 동지이자 지기知己로서 서로를 격려하고 조언을 아끼지 않는 평생의 동반자였다. 하지만 서학西學(천주학)을 믿었다는 이유로 긴 유배를 떠나 오랜 세월동안 절대고독의 상태에서 지내야 했다.

1801년 두 사람은 오라에 묶여 먼 남쪽으로 유배를 떠난다. 다산은 강진으로, 손암은 흑산도로. 이에 두 사람은 나주羅州 율정점栗亭店(나주 북쪽으로 5리 거리에 있음)에서 마지막 밤을 맞게 된다. 그리고 다음날 그곳에서 헤어진 후 살아서 다시는 만나지 못했다. 이 때 다산이 쓴 〈율정별栗亭別〉이란 시가 있다.

> 띠로 이은 가게 집 새벽 등잔불이 푸르스름 꺼지려 해
> 잠자리에서 일어나 샛별 바라보니 이별할 일 참담하기만 해라
> 그리운 정 가슴에 품은 채 묵묵히 두 사람 말을 잃어
> 억지로 말을 꺼내니 목이 메어 오열이 터지네.

> 茅店曉燈靑欲滅
> 起視明星慘將別
> 脉脉嘿嘿兩無言
> 强欲轉喉成嗚咽

-《여유당전서與猶堂全書》권4

 그후 두 사람은 비록 먼 거리를 두고 떨어져 지냈지만 편지를 주고받으며 변함없이 형제애를 지켜나갔다. 지금이야 편지를 보내면 아무리 오지라도 사나흘 정도면 받아볼 수 있지만 그 시절에는 인편을 통해 받을 수밖에 없었기 때문에 오랜 시간을 기다려야 했다. 하지만 서로의 편지를 애타

게 기다리는 것만이 당시 형제의 유일한 낙이었다.

사실 흑산도로 유배를 간 정약전은 식량조차 받을 수 없는 어려운 처지였다. 그러나 그는 자신의 고통에 얽매이기보다 동생 다산이 처해 있을 고독과 어려움을 먼저 헤아리고 살폈다. 그가 다산에게 보낸 편지를 보자.

> 대개 이 계획은 이별의 괴로움에서 나왔네. 그러나 일이 이미 이에 이르렀으니 어찌할 수 없네. 우리 나이가 이미 쉰이네. 남은 날을 손꼽아 헤아려 봐도 많아야 20년, 적게는 10년이나 6, 7년 뿐일 것일세. 지난 세월을 돌이켜보면 10년도 잠깐이지만 얼마나 되어야 이별의 괴로움을 잊을 수 있단 말인가. 우리는 그만이거니와 어찌 차마 아무 죄 없는 자손들에게까지 각처를 떠돌며 이사하게 해서, 살아서는 나그네의 슬픔과 죽어서는 타향이 넋이 되게 할 것인가. 자네가 결심을 바꾸지 않는다면 나의 처자도 당연히 함께 와서 내가 죽기 전에 바다를 건너 서로 바라볼 수 있을 것이네. 그러나 토지와 집을 모두 팔아도 노자를 충당할 수 없고, 어리고 병든 고아孤兒들의 진퇴를 주선할 수 없을 것이니, 오직 마땅히 옛집에 엎드려 기면서 죽을 날을 기다리는 것이 차라리 나을 것이네.
>
> —《여유당전서》

이는 다산이 가족을 강진으로 이사시키려 한다는 얘기를 듣고 이를 말리기 위해서 보낸 편지이다. 여기서 그는 "얼마나 오랜 세월이 지나야 이별의 괴로움을 잊을 수 있겠는가"라며 다산에게 묻고 있다. 그리고 다시 "어찌 차마 아무 죄 없는 자손들에게까지 각처를 떠돌며 이사하게 해서, 살아서는 나그네의 슬픔과 죽어서는 타향이 넋이 되게 할 것인가"라며 이사 계획을 포기할 것을 종용한다.

형의 편지를 받은 다산은 결국 가족들을 강진으로 이사시키려는 계획을 포기하고 다산초당으로 거처를 옮겨 안정을 되찾게 된다. 그러나 안타깝게도 정약전은 1816년 6월 6일 병이 든 나머지 먼 유배지에서 숨을 거두고 만다. 가슴 아픈 이별과 동생에 대한 그리움을 담은 편지도 더 이상 보낼 수 없게 된 것이다.

살아서는 증오한 율정점이여
문 앞에는 갈림길이 놓여 있었네
본래가 한 뿌리에서 태어났지만
흩날려 떨어져간 꽃잎 같다오
한 형제로 태어났지만
가는 길은 떨어진 꽃잎처럼
따로따로 흩어져간다는 것이
그 얼마나 서럽고 슬픈 말인가.


生憎栗亭店
門前歧路叉
本是同根生

分飛似落花

曠然覽天地

未嘗非一家

促促視形軀

惻怛常無涯

－《다산시문집茶山詩文集》권5〈손암에게 받들어 올리다奉簡巽菴〉

이는 형 정약전이 죽은 지 2년 후 귀양이 풀려 율정점 주막을 지나면서 먼저 저승사람이 되어 이 길목을 지나갔을 형을 생각하며 다산이 읊은 시로, 읽는 이들의 가슴을 아리게 만든다.

정약전은 다산에게 있어 형兄 이상이었다. 이에 형제간의 우애가 남달랐던 다산은 형 정약전의 부음 소식을 들은 뒤 두 아들에게 다음과 같은 편지〈두 아들게 부침寄二兒〉을 보낸다.

6월 초엿새는 바로 어지신 둘째 형님께서 세상을 떠나신 날이다.

슬프도다. 어지신 이께서 이처럼 세상을 궁색하게 떠나시다니. 원통한 그분의 죽음 앞에 목석도 눈물을 흘릴 텐데, 더 말하여 무엇 하랴.

외롭기 짝이 없는 이 세상에서 다만 손암 선생만이 나를 이해해주고 지기가 되어주셨는데, 이제는 그 분마저 가시고 말았구나. 이제 학문을 연구해서 얻은 것이 있더라도 누구와 상의하겠느냐. 사람은 자기를 알아주는 지기가 없다면 이미 죽은 목숨이나 마찬가지이다. 네 어미가 나를 제대로 알아주랴, 너희들이 이 아비를 제대로 알아주랴. 알아주는 사람 하나 없이 죽어갈 것을 생각하니 서럽기 그지없다. 경서에 관한 240권의 내 저서를 새로 장정하여 서가 위에 보관해놓았는데 이젠 불사르지 않을 수 없겠구나.

율정에서 헤어진 것이 이렇게 영원한 이별이 되고 말았구나. 더욱 슬픈 일은 그 같은 큰 그릇, 큰 덕망, 훌륭한 학식과 정밀한 지식을 두루 갖춘 어른을 너희들이 알아 모시지 않았고, 너무 이상만 높은 분, 낡은 사상가로만 여겨 한 오라기 흠모의 뜻조차 보이지 않은 것이다. 아들이나 조카들이 이 모양인데 남이야 말해 무엇 하랴. 이것이 가장 가슴 에이는 일이다.

요즈음 세상에 그 고을 사또가 서울로 영전했다가 다시 고을로 돌아올 때는 그 고을 백성들이 길을 막으며 거절한다는 소리는 들었어도 귀양살이하는 사람이 한 섬에서 다른 섬으로 옮겨 갈 때 본래 있던 곳의 섬사람들이 길을 막으며 더 있어달라고 했다는 말은 우리 형님 말고는 들은 적이 없다. 집안에 형님 같은 큰 덕망가가 계셨으나 자식이나 조카들이 알아주지 않았으니 참으로 원망스러운 일이다. 돌아가신 선왕(정조)께서도 신하들의 인품을 일일이 파악하시고 우리 형제가 함께 벼슬하고 있을 때 말씀하시길 "아무래도 형이 동생보다 훌륭하다"라고 하셨다.

슬프도다, 우리 임금님만은 형님의 능력을 알아주셨거늘.

－《다산시문집》권21


다산 개인의 입장에서 바라보면 그의 생애는 불운하기 이를 데 없다. 하지만 그의 불행으로 인해 우리는 우리 민족사에 길이 남겨질 〈다산학茶山學〉이라는 큰 학문을 하나 얻을 수 있게 되었다. 개인의 불행이 많은 사람들을 이롭고 행복하게 하는 것, 그것을 과연 어떻게 봐야 할까. 참으로 어렵고 복잡한 물음이 아닐 수 없다.

혼정신성의 사모함 다하지 못하여

이 날에 또 화성을 찾아와보니

침원엔 가랑비 부슬부슬 내리고

재전齋殿에서 방황하는 마음이어라.

# 어버이 사모하는 정이 더욱 간절하여

정 조 | 돌아가신 아버지 사도세자에 대한 그리움思父曲

1776년 3월 10일, 조선 제22대 국왕 정조正祖의 즉위식이 열렸다. 즉위식 후 정조는 신하들 앞에서 이렇게 말했다.

"과인은 사도세자思悼世子의 아들이다."

오랜 세월을 가슴에 묻어둔 아버지의 억울한 죽음을 더 이상 좌시하지 않겠다는 선포였다. 이 한마디에 주위는 일순간 조용해졌고 그 자리에 모인 신하들은 두려움에 떨어야 했다. 그 자리에 있던 신하들 중에는 사도세자의 죽음에 관여한 사람들이 많았기 때문이다.

정조는 요절한 아버지 사도세자에 대한 사랑이 지극한 것으로 유명하다. 이에 노량진에 배다리를 설치해 아버지의 능이 있는 화성을 자주 찾았다. 그리고 아버지의 능을 참배할 때면 젊은 나이에 불귀의 객이 된 아버지가 가여워 어김없이 대성통곡을 했으며, 통곡을 하다가 격함에 못 이겨

정신이 혼미해지고 구역질까지 했다고 한다.

다음 글은 정조가 아버지 사도세자의 능을 참배한 후 돌아가는 길에 쓴 것으로 읽는 사람들의 가슴을 뭉클하게 한다.

23일이 어느 날이던고. 이곳에 와서 초상肖像을 참배하고, 젖은 이슬을 밟아보니 어버이 사모하는 정이 더욱 간절하였다. 화성에 돌아와서는 비 때문에 어가御駕를 멈춘 후 가지 못하고 날이 밝기를 기다렸다가 새벽이 되어서야 다시 길을 떠나 지지대遲遲臺에서 머물렀다. 구불구불 길을 가는 도중에 어버이 생각이 계속 마음에 맺혀 오랫동안 그곳을 바라보면서 한 편의 시로 그 느낌을 기록하였다.

혼정신성의 사모함 다하지 못하여
이 날에 또 화성을 찾아와보니
침원엔 가랑비 부슬부슬 내리고
재전齋殿에서 방황하는 마음이어라
사흘 밤을 견디기도 어려운데
그래도 초상 한 폭을 이루었다오
지지대 길에서 머리 들고 바라보니
바람 속에 오운이 일어나누나.

－《홍재전서弘齋全書》 권7

전하는 말에 의하면, 사도세자의 능에는 들국화가 많이 피었는데 다른 곳보다 더 늦게 졌다고 한다. 또 다른 지역에는 없는 쪽새라는 산새가 있었는데 밤에만 울고 그 울음소리가 마치 사람이 우는 것처럼 구슬펐다고 한다.

다음은 정완영의 〈부자상〉이란 시이다.

사흘 와 계시다가 말없이 돌아가시는
아버님 모시 두루마기 빛바랜 흰 자락이
웬일로 제 가슴 속에 눈물로만 스밉니까.

이렇듯 살아있는 아버지도 이러한 슬픔을 자아내게 하거늘 하물며 오매불망 그리워도 가까이 갈 수도, 만날 수도 없는 아버지는 어떻겠는가. 더욱이 그 아버지가 억울하게 죽임을 당했다면 남아 있는 자식의 마음은 고통과 생채기로 가득할 것이다.

"결코 아무것도, 사랑받는 고통조차도 사랑하는 고통을 대신하지 못할 것이다"라는 누군가의 말이 가슴 시리게 다가온다.

늙은 아버지께서 흐느껴 운 뒤

아버지와 우리 형제들 모두 세 번씩 곡하였으니,

천하에 지극한 슬픈 울음이었다.

# 너는 이제 영원히 잠들었으니

이덕무 | 손아래 누이 서처徐妻의 죽음을 슬퍼하며 祭妹徐妻文

형암炯庵 이덕무李德懋는 경사經史에서 기문이서奇文異書에 이르기까지 통달하였으며, 박학다재博學多才하고 문장이 뛰어났다. 또한 여섯 살에 문리를 터득하였고, 유득공柳得恭, 박제가朴齊家, 이서구李西九와 함께 사가시집四家詩集 《건연집巾衍集》을 펴냈을 만큼 일찍부터 문명文名을 떨쳤다. 하지만 서자庶子라는 이유로 높은 관직에 오르지 못하였다. 이에 연암 박지원은 그의 재주를 안타까워한 나머지 다음과 같이 말하기도 했다.

"이덕무의 시야말로 우리나라의 풍토와 생활에 밀착되어 있으며 남녀의 마음씨를 볼 수 있게 하니 '조선의 풍요風謠'라고 할만하다."

다음 글을 보면 연암이 얼마나 그를 아꼈는지 알 수 있다.

"형암의 곧고 깨끗한 행실, 분명하고 투철한 지식, 익숙하고 해박한 견문, 그리고 온순하고 단아하고 소탈하고 시원스런 용모와 말씨를 다시는 볼 수 없어서 그것이 애석할 뿐이다. 형암이 저 세상으로 떠난 뒤 나는 이리저리 방황하고 울먹이면서 혹시라도 그와 같은 사람을 만날 수 있을까 했지만 도저히 찾을 수 없었다."

이덕무에게는 누이동생이 둘 있었다. 하지만 집이 가난한 까닭에 둘 모두 가난한 선비에게 시집을 보내야 했다. 그 중 손아래 누이동생은 서씨에게 시집을 보냈는데, 그 고통이 무척 심했다고 한다. 그러던 중 누이동생이 병을 얻게 되었고 얼마 후 세상을 떠나고 말았다. 이에 이덕무는 남매의 어린시절의 소소한 일상과 우애를 간명하면서도 눈물나게 묘사하고 있다.

우리 형제 4남매에 내가 너보다 6년이 위이니 나는 신유년(1471년, 영조 1년)에 태어나고, 너와 너의 동생은 정묘년(1747년)과 무진년(1748년)에 태어났다. 공무功懋는 정축생으로 가장 늦게 태어나 어렸을 때 네 모습을 볼 수 없었지만, 수더분한 태도로 놀던 그때 일이 눈에 삼삼하다.

업을 때는 반드시 두 어깨에 메고 이끌 때는 반드시 두 손으로 잡아주었다. 한 개의 떡이라도 꼭 절반으로 나누었고, 한 알의 과일도 똑같이 갈랐다. 단연丹鉛과 분목도 좌우로 나누어 두었으며, 꽃다운 화분도 골고루 나누어 분배하였다. 내가 경사經史를 읽을 때는 옆에 앉아서 따라 읽으며 재잘거렸고, 삼강오륜을 같이 앉아 해설하며 담론하였다.

흉년이 들어 먹을 것이 없는데다 어머니는 병까지 많으셨고, 강가에 유리할 적에는 을병년乙丙年이라, 쑥으로 빚은 보리떡과 나물죽이 입과 목구멍을 찔렀다. 콩나물을 지진 막장에 등불은 죽에 얼비치고, 비린내 나는 초

라한 반찬은 하인이 배에서 주워온 물고기라, 모여 앉아 자주 그것을 먹으면서 어머니를 위로하였다. 아버지께서 멀리 계시다가 오랜만에 돌아오시곤 하면, 갑자기 언짢아하실까 염려되어 전에 굶주리던 일을 말하지 않았고, 한없이 기뻐하며 다시 떠나실까 두려워 옷깃을 잡고 주위를 맴돌았다.

네 나이 18세에 서자徐子에게 시집을 갔다. 서자는 훌륭한 인격에 풍채 또한 준수했다. 이에 부모님은 딸이 영리하고 사위가 아름답다며 몹시 기뻐했다. 하지만 이듬해 여름 어머니께서 세상을 떠나고 말았다. 그러자 형과 아우가 슬프게 울부짖어 그 애통함을 심폐心肺에 새기며 더욱 서로를 위하였다.

네 동생은 상을 마치고 원元 씨의 아내가 되었는데, 각각 아들 하나씩을 낳아 안고 옛날을 생각하며 슬퍼하였다. 그리우면 때를 어기지 않고 가서 보았는데, 가엾게도 요즈음 네가 굶주리고 헐벗어 화로에는 불을 피우나 소반에는 밥그릇이 오르지 못하였다. 너는 비록 태연한 듯하였으나 얼굴에는 부황이 떠올랐다. 기침소리는 폐후肺喉에 요란하였고, 담은 견여肩輿에 집중되었다. 지난여름에 너를 데려와 약을 먹이다가 너의 시아버지가 돌아가시므로 네가 곡하며 돌아갔다.

겨울에 또 병세가 급하여 내가 가서 약을 달여 주었으며 집으로 데려왔는데 자리에 누워 연신 피를 토하고 쿨럭 거렸다. 하지만 겨울이 지나고 봄이 되도록 병은 차도가 없었다. 이에 할 수 없이 다시 시집으로 돌아갔는데 살이 빠지고 뼈만 앙상하게 남아 약으로도 부지하기 어려웠다. 늦봄에 다시 돌아왔으나 회복을 기대하기 어려웠다. 늙으신 아버지가 힘을 다해 간호했고 비록 살림은 군색했지만 어육魚肉을 반드시 갖추었으며 그 어육을 먹이고자 늘 곁에서 보살폈다. 유인儒人은 죽을 쑤고 서모는 머리를 짚어주고 등을 긁어주며, 몸종이 말동무를 해주어도 손을 저으며 귀찮아했다.

네 동생이 와서 마지막 이별을 하며 너의 얼굴에 눈물을 떨어뜨리니, 너는 말없이 눈물만 자주 글썽거렸다. 내 어찌 차마 이를 볼 수 있었으랴. 하늘도 너를 위해 침침하게 흐렸었다. 서군이 와서 무슨 할 말이 있느냐고 물으니, 할 말이 없다고 대답하기에 서군에게 저녁밥만 권하였다.

6월 초사흘, 갑자기 폭우가 쏟아지며 캄캄해졌다. 집안 식구들이 어제 저녁부터 오늘 아침까지 밥을 굶은 사실을 안 너는 얼굴을 찡그리더니 이후부터 병이 더욱 깊어져 결국 숨을 거두고 말았다. 늙은 아버지께서 흐느껴 운 뒤 아버지와 우리 형제들 모두 세 번씩 곡하였으니, 천하에 지극한 슬픈 울음이었다.

너는 이제 영원히 잠들었으니, 내 말을 듣는가, 듣지 못하는가. 아버지께서 예문禮文을 상고하고, 유모가 목욕시킨 후 수의를 입히며, 나와 서군은 슬픔에 겨워 염습을 하느라 손이 벌벌 떨리고 이마에 땀이 줄줄 흘렀다. 그 후 너의 시댁과 우리 집안의 어진 사람들이 부의賻儀를 보내어 장례를 치렀는데 급히 9일장으로 하여 시댁의 선영으로 돌아갔다.

너의 집에 가면 늘 네가 반가이 맞으면서, 바느질 품 팔아 모아두었던 돈으로 종을 시켜 술을 사다가 웃으면서 내 앞에 놓았다. 내가 그 술을 다른 그릇에 조금 따라 너에게 권하면, 너는 그 술을 받곤 하였다. 안주는 조금씩 나누어 조카 아중에게 먹였다. 이제는 백 번을 가더라도 눈에 보이는 것이 슬픔을 더하는 것뿐이리라.

내 동생이 된 지 28년인데, 언제 하루도 정의를 잃은 적이 있는가. 서군도 내게 하는 말이 "나의 아내가 된 지 11년인데, 말이 적고 천성이 온화하며, 번거롭지 않고 단아하므로 편협한 마음과 조급한 행동을 참고 진정할수 있으며, 동서끼리 서로 화목하여 틈이 없었다"라고 하였다. 천상 양반가규수의 품행이었다. 이에 응당 그 후손이 잘 되어야 하건만 다섯 살 된 아중이 너처럼 아파서 누렇게 파리하며 기침을 하는 것이 마치 너의 얼굴을 보는 것 같다. 그러나 잘 보살펴 길러서 너의 아픔을 위로하려 한다.

평시에는 남들에게 말할 적에 형제가 몇이냐고 물으면, 모모某某 넷이 동기라고 하였는데, 이제부터는 남들이 물으면 넷이라고 할 수가 없구나. 네몸이 마비되니 육골肉骨을 긁어내는 듯 아파 형은 아우의 죽음을 애처롭게여기고, 아우는 형의 죽음을 슬퍼하는 것이 이치에 당연하여 그 자연스런순서를 어길 수 없구나. 너의 생사를 겪으니 나는 원통할 뿐이다.

아, 이제 내가 죽으면 누가 울어주랴. 저 컴컴한 흙구덩이에 차마 옥 같은너를 어떻게 묻겠는가.

아, 슬프고 서럽다.

-《아정유고雅亭遺稿》간본 권5

슬픔과 그리움이 눈물로 떨어져 내리는 붉은 회한이 제문 속에 가득하다. 그러나 이제 더 이상 누이의 따뜻한 미소도, 바느질품을 팔아 모은 돈으로 사주던 그윽한 술맛도 맛볼 수 없다. 이에 이덕무는 가슴을 치며 통곡했으리라.

아, 인생의 덧없음이 마치 꿈결과도 같구나.

남매로 지낸 날들이 어찌 그리도 빨리 지나갔더란 말인가.

# 검푸른 먼 산은 누님의 쪽진 머리 같고

박지원 | 맏누이 증贈 정부인 박씨 묘지명伯姊贈貞夫人朴氏墓誌銘

연암의 맏누이 정부인貞夫人 박씨는 연암과 여덟 살 터울이었다. 하지만 일찍 부모를 여의었던 연암에게 있어 맏누이는 어머니와도 같은 존재였다. 그런데 1771년, 연암이 35세 되던 해 그 누이가 돌연 세상을 떠나고 만다. 이에 연암은 하늘이 무너지는 듯한 슬픔을 느끼며 누이의 묘지명墓誌銘을 쓴다. 이를 통해 연암은 누이의 가족관계와 나이, 장사를 어디에서 지낼 것 인지를 쓴 후 상여가 떠나면서 가난한 매형 이백규李伯揆가 가족들을 데 리고 배를 타고 가는 풍경, 누님과 함께 했던 어린시절의 아름다운 추억을 수채화처럼 펼쳐놓는다.

유인孺人의 휘諱는 아무이요, 반남 박씨이다. 그 동생 지원趾源 중미仲美(박 지원의 字)가 다음과 같이 묘지명을 쓴다.

유인은 열여섯에 덕수德水 이택모李宅模 백규伯揆(이현모의 字)에게 시집을 가서 딸 하나 아들 둘을 두었으며, 신묘년(영조 47년) 9월 초하루에 세상을 떠나니 나이 마흔셋이었다. 지아비의 선산이 아곡鵶谷(지금의 경기도 양평)인지라 장차 서향의 언덕에 장사를 지내게 되었다.

백규가 어진 아내를 잃고 난 뒤 가난하여 살아갈 방도가 없어지자, 어린 아이들과 계집종 하나, 크고 작은 솥과 그릇, 옷상자와 짐이든 궤짝을 짊어지고 배를 타고 산골로 가기위해 상여와 함께 출발하였다. 나는 두포斗浦의 뱃전에서 그를 전송한 뒤 통곡하며 돌아왔다.

아아, 슬프다. 누님이 시집가던 날 새벽에 화장하던 모습이 마치 어제 일만 같구나. 내 나이 그 때 여덟 살이었다. 내가 장난을 치느라 누워서 발을 동동 구르며 새 신랑의 말투를 흉내 내 말을 더듬거리며 점잔을 빼자, 누님은 수줍어서 빗을 떨어뜨려 내 이마에 맞추었다. 나는 그만 성이 나서 울면서 먹물을 분가루에 뒤섞고, 침으로 거울을 더럽혔다. 그러자 누님은 옥압玉鴨과 금봉金蜂 따위의 패물을 꺼내주면서 울음을 그치도록 달래었다. 그때로부터 벌써 스물여덟 해가 지났구나.

강가에 말을 세우고 강 위를 바라다보니, 상여의 명정은 바람에 휘날리고, 뱃전의 돛 그림자가 물 위에 꿈틀거렸다. 그러나 기슭을 돌자 나무에 가려 다시는 볼 수 없이 사라지고 말았다. 강가의 먼 산들이 검푸른 것이 마치 누님의 쪽진 머리 같았고, 강물 빛은 누님의 화장 거울과 같았으며, 서쪽으로 지는 새벽달은 누님의 고운 눈썹 같았다. 이에 누님이 빗을 떨어뜨렸던 일이 떠올라 나도 모르게 눈물을 흘렸다. 유독 어렸을 적 일만 역력하게 떠올랐다.

생각해보면 즐거웠던 기억은 많았는데, 세월은 덧없이 길고 그 사이에는 대부분 이별의 근심을 괴로워하고, 가난을 걱정하고, 괴로워하면서 보냈으니 아, 인생의 덧없음이 마치 꿈결과도 같구나. 남매로 지낸 날들이 어찌 그리도 빨리 지나갔더란 말인가.

떠나는 사람 정녕 다시 온다 약속을 남기고 가지만 보내는 사람 눈물로 여전히 옷깃을 적시게 하네. 조각배 이제 떠나가면 언제 다시 돌아올까. 보내는 사람만 헛되이 강가에서 외롭게 돌아가네.

－《연암집燕巖集》권2 〈연상각선본煙湘閣選本〉


죽은 부인의 상여를 따라가는 남편과 어린 자식들. 또 그 모습을 바라보는 동생이 느끼는 슬픔은 그 어떤 것과도 비교할 수 없을 것이다.

'누님의 상여를 따라가는 매형의 어깨는 축 늘어지고, 붉은 명정은 바람에 펄럭이는데…'

이 글만으로도 충분히 그 슬픔이 느껴진다. 그러나 더 큰 슬픔은 그 뒤에 온다.

'검푸른 산은 누님의 쪽진 머리 같고, 강물 빛은 누님의 화장한 얼굴 같아…'

이에 연암은 자신도 모르게 그만 눈물을 흘렸노라고 고백하고 있다. 두 번 다시는 볼 수 없는 그리움이 바로 그런 것일까.

위 글을 두고 연암의 처남이자 오랜 지기였던 이재성李在誠은 다음과 같이 평한 바 있다.

"인정人情을 따르는 것이 지극한 예가 되었고, 의경을 묘사함이 참문장이 된다. 글에 어찌 정해진 격식이 있으랴. 이 글을 옛사람의 문장을 기준으로 읽으면 당연히 다른 말이 없을 것이지만, 지금 사람의 문장으로 기준을 삼아 읽는다면 의아해하지 않을 수 없으리라. 원컨대, 상자 속에 넣어서 소중히 간직했으면 한다."

한편 연암은 형과 형수가 죽자 두 사람을 합장한 후 연암골로 들어가 살면서 〈연암골에서 돌아가신 형님을 생각하며燕巖憶先兄〉라는 시 한 편을 쓴다. 이 시 역시 읽는 사람의 마음을 연신 흔들어놓는다.


우리 형님 얼굴은 누굴 닮았는가
아버지 생각날 때면 형님을 보았네
이제 형님이 생각나면 누구를 보나
시냇물에 내 얼굴을 비추어보네.

– 《연암집》


이덕무는 이 시를 읽고 눈물을 흘리며 다음과 같이 말했다.

"정이 지극한 말이 사람으로 하여금 하염없이 눈물을 흘리게 하니 정말 진실되고 절절하기가 이루 말할 수 없다. 선생의 시를 읽으며 눈물을 흘린 것이 이번까지 두 번째인데, 처음은 선생께서 그 누님의 상여를 실은 배를 떠나보내며 읊은 시였다."

사랑하는 사람을 떠나보낸다는 건 결코 쉬운 일이 아니다. 비록 사람은 가고 없을지언정 그와 나누었던 수많은 이야기와 추억은 영원히 가슴속에 남아 있기 때문이다.

비통한 심정을 만에 하나도 기억하지 못하겠습니다.

붓을 들어도 가슴이 막혀 무슨 말을 올려야 할지 모르겠습니다.

# 하늘이여, 어찌 이리도 가혹하십니까

임윤지당 | 오빠 임성주任聖周의 부음을 전해 듣고祭仲氏鹿門先生文

윤지당 임씨는 아들 신재준이 죽은 다음 해인 1788년 둘째 오빠 녹문鹿門 임성주任聖周의 부음을 전해 듣는다. 여덟 살의 어린 나이에 아버지를 여읜 그녀에게 오빠 임성주는 아버지나 다름없는 존재였다.

임성주는 뛰어난 성리학자로 어린 여동생에게 학문의 길을 열어주었을 뿐만 아니라 '윤지당'이라는 호까지 직접 지어줬을 만큼 여동생을 아꼈다. 이에 윤지당은 가슴이 무너지는 듯한 아픔을 참으며 오빠의 영혼을 위로한다.

작은 누이 신씨는 멀리 원주에서 부음을 듣고, 목 놓아 통곡하며 비통한 심정을 대략 서술하여 상주인 조카가 있는 곳으로 보내고, 이 달 초하루 임술일에 간략한 제물을 갖추어 영결을 고합니다.

아, 애통합니다. 오라버니, 어찌 저를 버리고 먼저 가십니까. 오라버니는 저보다 10년 연상입니다. 누이는 허약하고 기운이 쇠락하여 하직할 날이 며칠 남지 않았습니다. 그러나 오라버니께서는 천품이 탁월하시고, 정기는 맑고 심원하시며, 그 바탕은 순수하고 중후하셨습니다. 누이는 마음속으로 '나의 죽음은 반드시 오라버니보다 먼저 올 것이니, 내가 죽은 후에 만약 오라버니의 글 몇 줄을 얻어 묘소에 표시해두면 저승에 가서도 광채가 날 것이다'라고 생각했습니다. 그런데 어찌 사람의 일이 뒤바뀌어 이런 지경에 이를 줄 알았겠습니까.

아, 누이는 전생에 지은 죄가 많아 작년에 아들을 잃었고, 이제 또 오라버니를 잃게 되었습니다. 하늘이여, 귀신이여, 어찌 제게 이렇게 가혹하십니까.

아, 누이는 모진 목숨을 아직도 지탱하고 있으나 친정과 시댁의 부모가 모두 돌아가시고, 일곱 형제자매 중 오직 남은 사람은 오라버니와 막내 그리고 저뿐이었습니다.

아, 푸른 하늘이여, 어찌 이리도 저에게 가혹하십니까. 애통하고 절통합니다. 이 누이는 살아서 다시 오라버니를 뵙지 못하고, 돌아가신 후에는 달려가 빈소에 곡조차 하지 못했습니다. 이제 또 오라버니의 유체를 지하로 영결하게 되었습니다. 상을 당한 여독으로 정신이 소모되어 비통한 심정을 만에 하나도 기억하지 못하겠습니다. 붓을 들어도 가슴이 막혀 무슨 말을 올려야 할지 모르겠습니다. 아, 애통합니다. 이것이 어찌 사람의 일이겠습니까. 오셔서 흠향하소서.

－《윤지당유고》

오빠 임성주를 떠나보낸 5년 후 윤지당 역시 하늘로 돌아갔다. 1793년(정조 17) 음력 5월 열나흘이었다. 이에 그의 시동생 신광우는 그녀의 임종 당시의 모습을 《언행록言行錄》에 다음과 같이 기록했다.

병세가 위독해지자 윤지당은 "내가 평생 시를 지어본 적이 없는데, 지금 정신이 혼란스러우면서 갑자기 시 세 구절이 떠오르는구나"라고 말했다. 그러자 주위에서 임종을 지키고 있던 사람들이 그 시 구절이 무엇이냐고 물었다. 그러자 윤지당은 "오직 슬픔만 더할 뿐이다. 너희들이 들어서 무슨 이득이 있겠느냐"라며 더 이상 말하지 않았다. 그리고 잠시 후 며느리(죽은 양자 신재준의 부인)에게 "집안을 잘 단속하고, 남녀의 출입을 엄하게 삼가도록 해라"라고 말한 뒤 태연히 숨을 거두었다. 그녀의 나이 일흔 셋이었다.

-《언행록》

'잊음으로서 기억한다'는 옛말이 있다. 하지만 그것이 어디 마음먹은 대로 되는 일인가. 자신도 모르는 사이에 그리움이 꽃처럼 피어날 때가 있지 않던가.

아버지처럼 의지했던 오빠가 죽었음에도 널을 붙들고 통곡 한 번 제대로 하지 못한 채 멀리서 지켜보는 마음이라니. 이것이 슬프지 않다면 무엇이 슬프랴. 애잖함에 눈시울이 뜨거워진다.

사방상하 그 어디로 갔는지 알 길이 없구나.

한 번 가더니 삼 년이 되도록 어찌 지금껏 돌아올 줄을 모르는가.

# 한 번 가서는 어찌 돌아올 줄 모르는가

김창협 | 동생 탁이卓而의 재기일에 지은 묘지명亡弟再朞祭文

다음 글은 김창협金昌協이 동생 탁이卓而(김창립의 字)가 죽은 다음 해 재기일再朞日(죽은 지 2년이 되는 때)에 지은 묘지명이다. 그는 여기서 '바빠서 죽은 아우를 생각할 수 없었다'는 말로 미안함을 대신하며, 마치 살아 있는 사람에게 이야기하듯 잔잔하게 이야기를 풀어쓰다가 결국 서러움을 참지 못해 격렬하게 슬픈 마음을 풀어놓고 있다.

유세차 을축년(1685년, 숙종 11년) 12월 정해삭丁亥朔 스무엿새 임자壬子. 이 날은 죽은 나의 동생 탁이의 재기일再朞日이다. 그 하루 전 신해일辛亥日에 중형仲兄 창협昌協은 술과 안주를 간략하게 갖추고 곡한 후 강신 술을 부으며 말하노라.

아, 25개월이 지났으니, 고인이 극사隙駟(사마가 달려 틈새를 지나치듯 세월이 빠르다는 뜻)라 이르지 아니하였던가. 그대가 떠나고 어느새 재기일이 되었도다. 궤연几筵(제기의 일종)의 설치와 곡읍哭泣의 절차는 사람들이 빙자하여 의지하는 것인데, 이제 이것을 철거해야 하고, 억지抑止해야 하니, 선왕이 제정한 예인지라 어찌할 수 없는 일이다.

그런데 생각해보니, 내 홀연 오랫동안 그대를 잊고 지냈구나. 안으로 밤낮없이 바쁘고, 밖으로는 원습原隰에 달리게 되어 나라 일에 바빠 사사로운 일은 돌볼 겨를이 없었다. 아침상식이나 삭망의 차례에는 빠지는 것이 십중팔구였다. 살아 있을 때는 돌보고 죽으면 져버리게 된다는 것이 진정 옳은 말이었던가. 날이 멀어지면 날로 잊어버린다는 말이 이것을 두고 한 말인가. 내 진실로 그대를 저버렸구나. 그대 진정 나를 원망하였겠지. 오호라, 이것이 어찌된 일인가.

무릇 죽은 이를 보내는 절차에도 많은 변화가 있기 마련이다. 염을 해서 관을 넣으면 그 형체가 숨겨지고, 장사하여 봉분을 만들면 그 널이 숨겨지며, 일 년이 되어 소상이 되면 복제가 고쳐진다. 그 절차가 매번 변함에 따라 애통한 마음도 매양 새로워지는 것이다. 그러나 궤연이 아직 있고 곡읍이라도 할 곳이 있으니 그래도 유명幽明(그윽하고도 밝은) 간에 그리 멀지가 않고 혼기魂氣의 소통이 그리 소원한 것이 아니었으나, 이제 장차 모든 것이 비게 되고 끊어져서 죽은 사람은 온전한 귀신이 되고 산 사람은 아무것도 빙자하는 것이 없게 될 것이니, 죽은 사람을 보내는 절차는 여기에서 끝이 나게 되는 것이다.

아, 나와 그대가 오늘로써 영결하게 되는구나. 이것이 어찌 슬프지 않겠으며 슬픔이 어찌 더 심하지 않겠는가.

오오, 탁이여! 그 또한 끝이로다. 정영精英한 기氣와 소랑昭朗한 질質이 거두어 돌아갈 곳이 있는가. 웅결되어 태어난 물체가 있는가. 물거품이 바다에 녹아도 없어지지 않는 것과 같은 것인가. 아니면 구름이 하늘가에 흩어졌다가 끝내 없어지게 되는 것인가. 사방상하 그 어디로 갔는지 알 길이 없구나. 한 번 가더니 삼 년이 되도록 어찌 지금껏 돌아올 줄을 모르는가.

오호, 탁이여! 굴신屈伸·왕래往來·합산合算·소식消息은 다 정해진 수數가 있는 것이니, 하늘이 하는 일을 내가 어찌 하겠는가.

아, 풍아風雅를 깊이깊이 생각했으나 세상에 드문 소리를 떨치지 못하였고, 고금에 높은 뜻을 품었으나 원대한 일을 완성하지 못하고서, 오직 남은 원고에 그 향기를 기탁하였고 비석에 그 이름을 표시하였을 뿐이니, 하늘에 닿는 애통함과 땅에 사무치는 원한이 오직 이에 그칠 따름이다.

오호 탁이여! 그런가 안 그런가. 슬프고 서럽다. 술이나 마시게.

—《농암집農巖集》


김창협은 "살아 있을 때는 돌보고 죽으면 저버리게 된다"는 옛말과 함께 "날이 멀어지면 날로 잊어버린다"고 한탄하며 동생에 대해 그가 무심했음을 뼈아프게 자책하고 있다. 하지만 그것이 어찌 그뿐이겠는가. 살아 있을 때 가깝게 지냈던 사람도 그 사람이 죽게 되면 날이 갈수록 잊고 마는 것이 세상사이다. 그리고 마침내는 그런 사람이 있었다는 사실조차 망각하고 만다.

끊어지는 듯한 창자를 움켜잡고 북쪽 하늘을 바라보며,

이 애끓는 마음을 글로 적어 보지만 눈물이 앞을 가려 글씨를 쓸 수 없네.

# 눈물이 앞을 가려 글씨를 쓸 수 없고

김수항 | 막냇누이 숙인 김씨의 죽음을 애도하며祭季妹文

명문名門이나 명가名家는 하루아침에 이루어지지 않는다. 자식은 부모가 하는 행동을 보고 자라기 때문이다. 따라서 부모가 자신의 자리를 반듯하게 갖지 않고는 제아무리 훌륭한 가르침도 미사여구에 지나지 않는다.

문곡文谷 김수항金壽恒은 안동 김씨로 정묘호란丁卯胡亂(1627년, 인조 5년에 청의 침입으로 일어난 조선과 청 사이의 전쟁) 당시 주전론을 주장했던 김상헌金尙憲의 손자로 공조참판을 지낸 김수증金壽增과 영의정을 지낸 김수흥金壽興은 그의 형이다. 또 조선의 '육창六昌'이라 불리는 창집昌集·창협昌協·창흡昌翕·창업昌業·창즙昌緝·창립昌立의 아버지이기도 한다. 이들 형제는 모두 문장으로 가문을 빛냈다.

다음은 김수항이 막냇누이 숙인 김씨가 죽자 그 죽음을 애도하며 지은 제문이다.

을묘년(1675년, 숙종 1년) 11월 막내 오빠 수항은 멀리서 조촐한 안주와 술을 장만하여 가지고 내 아들 창협昌協을 시켜 누이인 숙인淑人 김씨의 영정에 바치는 바일세.

아, 우리 어머님께서는 무려 여덟 자녀를 나으셨는데, 아들이 셋이고, 딸이 다섯, 그 중에 누이가 막내였지. 누이를 낳으실 때 어머님께서는 어려움을 당하시어 아침에 누이를 낳으시고 저녁 때 돌아가셨지. 당시 큰 누님은 결혼을 하셨지만 둘째, 셋째 누님은 아직 결혼 전이었고, 또 두 형님은 이제 막 이를 가는 어린 나이였으며, 나와 넷째 누이동생은 더욱 어려 아직 기저귀 신세를 못 면한 터였네. 그리하여 나는 지금도 돌아가신 어머님의 모습을 어렴풋이라도 그릴 수가 없다네.

애달픈 마음 어이 하리. 사람이 이 세상에 태어나서 어머님 말고 누구를 믿고 살겠는가마는, 우리 형제는 어려서 어머님을 여의고 참으로 불행하게도 자랐지. 더구나 누이는 세상에 나오자마자 어머님을 잃었으니 그 기구한 운명이 이보다 더 중한 경우가 어디 있겠는가. 할아버지(김상헌)께서 의지할데 없는 누이를 더욱 애달피 생각하시어 애지중지 돌보아 길러주시었네. 게다가 누이는 어릴 때부터 얼굴이 예쁘고 마음이 고와서 만년의 할아버지께서는 마치 손바닥 안의 보물처럼 더더욱 아끼고 사랑하였지.

그런 연유로 할아버지께서 청나라에 가시어 포로의 몸이 되어 있는 중에도 누이를 생각하시며 읊은 시구詩句들이 지금도 많이 남아 있지. 그뿐 아니라 우리 형제에게 편지를 보내실 때는 빠뜨리지 않고 누이의 안부를 물으셨네. 그러다가 풀려나시어 고국으로 돌아오시자 몸소 신랑감을 골라 누이를 결혼시키고는 몹시도 기뻐하시던 모습을 지금도 잊을 수가 없네. 그 뒤 할아버지께서는 세상을 돌아가실 때도 누이에 대한 부탁의 말씀을 많이 하셨지.

오호라, 누이도 하늘같은 할아버지의 큰 은혜를 갚지 못하였고, 할아버지께서도 오래오래 사시지 못하였음은 우리가 똑같이 슬퍼할 만한 일이 아니겠는가. 할아버지의 지극한 사랑과 보살핌을 받고 자랐음에도 불구하고, 누이는 어찌 그리 운명이 기박하단 말인가. 그나마 다행스러운 것은 매제가 벼슬길에 올라서 승진의 기회가 활짝 열려 있었고, 또 내외간에 금슬이 좋아서 집안이 자못 번성해 가는 것이었네. 그리하여 나는, 하늘이 앞서 누이의 운명을 기박하게 만든 것은, 앞으로 누이에게 더 많은 복을 주고 오래오래 살도록 하기 위한 시련이라고 생각하였었네.

그런데 이게 웬일인가. 한창 장년의 나이인 남편을 그만 여의고 말았으니. 이처럼 기구한 운명 속에서도 실낱같은 희망은 오직 자식들뿐이어서, 슬하에 세 딸이 이미 다 자라 사위도 보았고, 양자로 들인 아들도 성취成娶하여 며느리도 두고 손자도 보았으니, 만년에는 자손을 양육하는 즐거움이나 누릴 줄 알았는데, 누이마저 늙지도 않은 나이에 그리 빨리 갈 줄 누가 알았단 말인가. 어찌 하늘은 누이에게만 이렇게 가혹한 운명을 내리신단 말인가.

누이는 본래부터 몸이 쇠약하여서 병을 잘 앓았었네. 몹쓸 병이 들어 꼬챙이처럼 여위어 갔지만 그렇게 빨리 떠날 줄이야 누가 알았겠는가. 사은사의 사명을 띠고 중국에 갔다가 돌아오는 수개월 동안 누이의 병이 완쾌되기를 빌고 또 빌었었는데, 그곳에서 해가 바뀌고 압록강까지 와서야 누이의 부음 소식을 들었네. 나는 그 때 임금께서 내리신 사명도 아직 보고 드리지 못한 상태였는데, 누이는 멀리 떠나고 말았으니, 장례에도 참석하지 못한 이 맺힌 한을 어떻게 풀어야 한단 말인가.

풀잎에 맺힌 이슬같이 외롭고 가련한 내 인생에 오로지 동기(형제)들만을 의지하며 살았었는데 둘째, 셋째 누님도 이미 돌아가셨고, 누이 역시 이렇게 떠나고, 넷째 누이동생은 지금 병석에 누워 오늘 내일하며 죽기만을 기다리는 형편이라네. 또 백씨伯氏(맏형 김수증)께서는 서쪽의 지방관에서 돌아오시자 곧 가족을 이끌고 시골로 돌아가셨고, 중씨仲氏(중형 김수흥)께서는 벼슬에서 쫓겨나 귀양생활을 한 끝에 서울 밖으로 물러가 계신다네. 큰 누님만이 지금 서울에 살고 계시지만 나이 칠십을 바라보는 지경이어서 몸이 쇠약할 대로 쇠약해 있다네. 나 또한 나라로부터 버림을 받아 지금 이 뜨거운 남쪽 지방에서 유배생활을 하는 중일세. 이러하니 죽은 사람이야 어쩔 수 없지만 산 사람끼리도 다시 만날 기약 없이 이렇게 떨어져서 산다네. 정을 가진 사람으로서 이 또한 견디기 어려운 일일세.

그러나 부모가 모두 살아 계시고 형제가 모두 아무 탈 없이 사는 사람이 이 세상에 몇이나 되겠는가. 애달프고, 애달프네. 내가 북경에서 돌아온 뒤 술 한 잔이라도 들고 가서 누이 영전에 올린 뒤에 이 슬픈 마음을 하소연하려고 벼르고 별렀지마는 거듭 나라의 우환(자의대비의 사망)을 당하여 한 해 내내 바쁘게 쫓아다녔네. 곧 이어 임금으로부터 준엄한 꾸중을 입어 저 강가에 나가 명령을 기다리다가 남쪽으로 귀양을 오게 되었네.

슬픔과 한탄이 마음속에 쌓였으나 그것을 하소연하지 못한 채 세월만 보내다가 어느덧 누이의 대상大祥을 당하였네. 이 먼 지방에 떨어져 있어서 누이의 혼령 앞에 나아가 곡哭 한 번 하지 못하고, 구운 닭 한 마리, 술 한 잔 올리지 못하니 더더욱 한스럽고 슬프기 그지없네.

끊어지는 듯한 창자를 움켜잡고 북쪽 하늘을 바라보며 이 애끓는 마음을 글로 적어 보지만 눈물이 앞을 가려 글씨를 쓸 수 없네. 누이의 혼령이 있다면 이 오빠의 마음 알아줄 것일세. 부디부디 이 정성 흠향하게나.

－《문곡집文谷集》


어미의 얼굴도 모른 채 자란 누이가 갑작스레 죽었다. 시집을 가 '어머니'라고 부르는 자식들을 낳고 보니 얼굴 모르는 어미 생각이 더 간절했을 누이. 혹 아팠을 때 어미를 그리워한 것은 아닐까. 이런 생각을 하니 오라비의 마음은 찢어질 듯 아팠을 것이다. 갈 수도 없는 먼 곳에서 김수항이 막냇누이에게 보내는 간절한 제문은 그래서 더욱더 심금을 울린다.

덧없는 인생이 꿈같기도 하고, 허깨비 같기도 하여

내 마음이 더욱 망연하여 슬프기만 합니다.

# 덧없는 인생이 꿈같기도 하여

허 목 | 종형 허후許厚의 죽음을 슬퍼하며祭宗兄汝晦文

미수眉叟 허목許穆은 17세기를 대표하는 지성이다. 흔히 조선왕조의 지식인을 선비라고 하는데, 허목은 일반적인 선비와는 다른 독특한 개성을 가지고 독자적인 학문의 길을 걸은 선비이자 선명한 정치노선을 걸은 사대부였다.

허목이 살았던 시대는 치열한 당쟁으로 인해 하루도 잠잠한 날이 없었다. 서인의 중심에 송시열이 있었다면 남인의 중심에는 그가 있었을 만큼 그는 조선 후기 정계와 사상계를 이끈 핵심 인물이다.

1660년 뜻하지 않은 효종의 죽음을 시작으로 20여 년에 걸쳐 서인과 남인은 논쟁을 벌였다. 이른 바 예송논쟁이 바로 그것이다. 논쟁은 송시열과 허목이 죽은 뒤에도 계속 되었다. 후에 영조와 정조가 탕평책으로 화해를 시도하긴 했지만 반목은 그리 쉽게 가라앉지 않았다. 이는 허목과 송시열두 사람의 성격이 너무 강했고 견해 차 또한 너무 컸기 때문이다.

허목은 관설헌觀雪 허후許厚와 같은 집 같은 방에서 7년의 시차를 두고 태어난 종형제從兄弟(사촌인 형과 아우) 사이이다. 이에 어려서부터 종형 허후에게 수학했고, 23세에는 허후와 더불어 한강寒岡 정구鄭逑에게 3년 동안 사사하였다. 그만큼 그에게 있어 종형 허후는 존경하는 형이자 선생이요, 평생의 지기와도 같았다.

그러나 안타깝게도 허후가 먼저 세상을 떠나고 만다. 이에 허목은 스승과도 같았던 종형의 죽음을 슬퍼하며 다음과 같은 제문을 남긴다.

아, 우리 형의 깨끗한 행실과 우뚝한 지조는 완부頑夫(미련하고 재물을 탐내는 사람)가 청렴해지고 풍속이 격려되게 함이 있어, 말과 행동에 환하게 나타난 것을 사람들이 다 보고서 사모하니, 본디 사리에 밝은 사람이 아니더라도 알 것입니다. 그런데 비루한 내가 우리 형을 따라다닌 뒤부터 보고 느끼어 덕을 본 것을 또 어찌 다 말하겠습니까. 그럴 즈음에 난리가 해를 넘어 영해嶺海의 천 리 머나먼 객지에서 엎어지고 자빠지며 갖은 고난을 겪으면서도 하루도 떨어져 있은 적이 없었으며, 거기서 우리 형의 마음 지킴의 엄함과 실지 품행의 방정方正함에 분명히 법이 있음을 더욱 알게 되어서, 따라가고자 하였으나 그렇게 할 수 없었습니다. 그 후 오래지 않아 갑자기 형의 부음을 듣게 되었습니다.

아, 인정은 장차 죽게 될 때의 글자마다 영결永訣하는 말이 되는 것입니다. 하늘 끝 멀리서 연련하던 생각이 마침내 사별死別이 되고 마니 더욱 슬픈 일입니다.

아, 예로부터 어진 사람은 항상 불우하고 장수를 하지 못합니다. 그리고 악한 일을 한 사람은 복을 받고 행실을 닦은 사람은 매몰되니, 하늘의 도道가 마침내 어떠한지 모르겠습니다. 어린 아이의 부탁과 양육은 외롭고도 고달파서 의지할 데가 없으며, 만사가 영락零落(조용히 떨어지는 것)하게 성장하기에 이르렀으니, 이 역시 하늘의 운명입니다. 난리 속에서 서로 의지하던 친척 몇 집이 10년 사이에 거의 다 사라져서 조문弔問하는 이외에 서로 환난을 이야기하는 사람도 얼마 없습니다.

덧없는 인생이 꿈같기도 하고, 허깨비 같기도 하여 내 마음이 더욱 망연하여 슬프기만 합니다. 아, 슬프고 슬픕니다.

－《기언記言》별집 권12

얼마나 믿음과 사랑이 깊으면 "내가 이분을 위해 울지 않고 누구를 위해 울겠는가"라고 말할 수 있을까. 사랑도 믿음도 절실하지 않으면 아무것도 아니다.

아, 하늘이여, 무슨 죄로 나를 외롭게 만듭니까.

아, 하늘이여, 이 아픔 언제 다하리까.

# 무슨 죄로 나를 외롭게 만듭니까

신 흠 | 맏누이 임씨 부인을 위한 제문祭長姊申氏婦文

상촌象村 신흠申欽은 조선 중기의 학자로 월사月沙 이정구李庭龜, 계곡谿谷 장유張維, 택당澤堂 이식李植 등과 함께 '문장사가文章四家'로 이름 높았던 선비이다. 그는 벼슬이 영의정에 이르렀으며 상수학象數學(사물의 현상을 수로서 추상해내 그 안에서 해결하는 학문)과 유·불·도를 넘나드는 회통사상會通思想으로 심학心學을 종합한 철학자이기도 했다.

자신의 허물만 보고 남의 허물은 보지 않는 이는 군자이고, 남의 허물만 보고 자신의 허물은 보지 않는 이는 소인이라는 말이 있다. 자신을 제대로 살피면 자신의 허물이 날마다 앞에 나타날 것인데 어느 겨를에 남의 허물을 살피겠는가. 남의 허물을 살피는 사람은 자기 몸을 성실하게 살피지 않는다. 그러나 자신의 허물은 용서하고, 남의 허물만 알며, 자신의 허물은 묵과하고, 남의 허물만 들추어내면 이야말로 큰 허물이 아닐 수 없다. 따라서 이 허물을 고칠 수 있는 자야말로 바야흐로 허물이 없는 사람이라고 할 것이다.

見己之過不見人之過君子也 見人之過,
不見己之過小人也 檢身苟誠矣 己之過日見於前
烏暇察人之過 察人之過 檢身不誠者也 己過則恕
人過則知 己過則黑 人過則揚 是過也大矣
能改己過者 方可謂無過人

이는 그가 쓴 〈검신편檢身篇〉이라는 글로 자기 자신을 가장 먼저 돌볼 것을 말한 글이다.

뛰어난 문장력으로 대명 외교문서 등을 직접 썼던 그는 맏누이 임씨 부인이 죽자 가슴 아픈 제문을 남기도 했다.

만력 48년 경신 2월 모일에 아우 흠은 삼가 맑은 술과 여러 제물을 갖추어 아들 익성翊聖을 보내 임씨 영전에 제사를 드립니다.

슬픕니다, 양주의 한 뙈기 땅에
거년에 딸 묻고 지금은 누이 묻습니다.
눈물과 곡성이 저승과 하늘에 사무쳐라

이 몸 죽어 서로 의지 못한 게 한스럽소

오십 년 동안 동포의 정리와

이십 년 동안 동거한 의리 있건마는

운명 때는 널 붙들고 호곡 못해 보았고

장사 때도 광 곁에 가서 통곡 못했습니다

아, 하늘이여,

무슨 죄로 나를 외롭게 만듭니까

아, 하늘이여,

이 아픔 언제나 다하리까

흠향하소서.

–《상촌집象村集》

20년 동안 같이 살다가 30여 년을 멀리서나마 의지하고 살았던 누님이
죽었다. 그러나 너무 가슴이 아파서 마지막을 지켜보며 이름을 부르지도
못했고, 장례식에 찾아가 통곡하지도 못했다. 할 수 있는 일이라고는 글로
서나마 슬픔과 서러움을 표현하는 것 뿐. 어금니를 깨물고 흐느껴야 했던
그 아픔이 눈앞에 보이는 듯하다.

슬픔이 격동하여 정신을 잃을 뻔했네

천치 마냥 눈물이 저절로 흐르네.

# 눈물이 마르지 않네

기대승 | 죽은 동생을 위한 만장挽章弟

고봉高峯 기대승奇大升은 기묘사화己卯士禍(1519년, 중종 14년 남곤, 홍경주 등의 훈구파에 의해 조광조 등의 신진 사류들이 숙청된 사건)가 있은 지 8년 후 전라도 나주(현 광주광역시 임곡동)에서 태어났다.

그는 16세기 '사림의 전성시대'를 빛낸 대학자로 어려서부터 뛰어난 재주로 문명을 날렸다. 하지만 기묘사화 당시 정암靜菴 조광조趙光祖와 함께 화를 입은 기준奇遵의 조카라는 이유로 시험에 합격하고도 낙방 처리되는 불운을 겪어야 했다.

그는 강직과 청빈으로 일관된 삶을 살았던 유학자이기도 하다. 이에 정치가로서보다는 학자로서 더 높은 평가를 받고 있다. 그는 당시 정권을 잡기 위해 혈안이 되어 있던 권간權奸들에게 환멸을 느낀 나머지 출세하는 것을 스스로 포기한 채 학문 연구에만 몰두하였는데, 스승이자 대선배이기도 했던 퇴계 이황과 무려 8년에 걸쳐 '사단칠정론四端七情論' 논쟁을 벌이기도 했을 만큼 학식이 높았다. 이후 퇴계는 자신보다 26년이나 어린 기대승의 학식을 존중하여 대등한 입장에서 그를 대하였다고 한다. 나아가 선조에게 "고봉이야말로 國中有一通儒다"라며 그를 유학자중의 유학자로 인정하였다.

기대승은 세상을 떠날 때까지 정치의 이상에 충실하고자 했다. 이에 대의명분大義名分에 어긋나는 일을 저지르는 사람과는 일절 상대하지 않았다. 심지어 스승과도 같았던 퇴계의 판단까지도 뒤집기에 주저하지 않았다. 그의 이러한 태도는 결국 조정에서 빈번한 마찰을 불러일으켰고, 그 결과 그는 사직과 귀향을 되풀이해야만 했다. 이후 그는 모든 직을 거절하고 귀향하여 '낙암樂庵'이라는 서재를 짓고, 후진을 양성하면서 학문에만 종사하고자 했다. 그러나 세상은 그를 가만히 내버려두지 않았다. 조정의 끊임없는 요청에 그는 다시 대사간 자리에 오른다. 하지만 몇 달 후 곧 사퇴하고 귀향을 서두르다 도중에 병을 얻어 목숨을 잃고 만다. 그의 나이 겨우 마흔다섯이었다.

그는 죽음에 임하여 다음과 같은 말을 남겼다.

명이 길고 짧은 것, 죽고 사는 것은 하늘의 뜻이다. 어려서부터 글 읽기에 힘썼고 드디어 성현의 학문에 뜻을 모았다. 중년 이래도 겨우 얻은 바 있으나 공부가 독실하지 못하여 항상 마음먹은 바에 부응하지 못할까 두려워하였다. 만일 임하林下(벼슬을 그만두고 은퇴한 곳)에서 몇 년만 더 학문을 강구할 수 있었다면 다행이었을 텐데. 병이 들었으니 이를 어찌할꼬.

-《고봉집高峯集》

삶과 죽음에 대한 그의 생각을 짐작해볼 수 있는 것으로 청빈한 학자로 살고자 했던 그의 바람이 고스란히 묻어나는 글이라고 할 수 있다.

그는 죽은 동생을 위해 애절한 만장挽章을 남기기도 했다.

> 가문의 재화가 어찌 그리 잦은가
> 해마다 눈물이 마르지 않네
> 기둥이 부러지니 사람은 절망하고
> 난초가 시드니 해는 장차 추워지리
> 옛집에 슬픈 바람이 일고
> 거친 산에는 묵은 풀이 쇠잔하도다
> 아득하다 상여끈 잡던 곳에
> 지난 일이 다시 간장을 무너뜨리네.

> 네가 죽었는데 나는 밖에 있으니
> 너의 장례에도 돌아가기 어렵네
> 형제간 서로 떨어지기도 괴로운 것인데
> 그 정리는 지금 생과 사로 멀어졌네
> 압천에는 가을 낙엽이 어지럽고

진수에는 저문 구름이 얼고 있네
멀리 너를 묻을 곳을 생각하니
아득히 바라보며 눈물이 마르지 않네.

너는 어찌 때 아니게 태어났는가
석 달 만에 자친을 여의었네
엎혀 길러져 어렵게 성립되니 은혜 보답 효성 지극했도다.
애훼가 너무 깊어 죽은 것 슬퍼하노라니
슬픔이 격동하여 정신을 잃을 뻔했네
통곡해 마지 않은 영원의 생각
이승 저승들이 다 할 말이 없네.

나는 돌보아주지 못해 늘 부끄러운데
너는 언제나 은정에 전일했네
서로 헤어진 것은 하찮은 벼슬 때문이라
갑자기 죽음은 천리를 져버렸네
꿈만 같은 정은 다하기 어렵고
천치 마냥 눈물이 저절로 흐르네
집 아이가 장례를 돌봐 치렀는데
나와 너 사이에는 황천이 가로막아 있네.

－《고봉집》속집 권1

동생이 죽었다는데 돌아갈 수도 없고, 동생을 돌봐준 기억도 별로 없으니, 휘몰아오는 슬픔에 천치마냥 눈물만 줄줄 흘릴 수밖에.

어려서부터 재주가 특출하여 일찍 이름을 떨쳤을 뿐만 아니라 독학으로 고금에 통달했던 기대승. 하지만 그 역시 대사간을 지내다가 병으로 그만두고 귀향하는 도중 전라도 고부에서 영영 돌아올 수 없는 불귀의 객이 되고 말았다.

수 일 동안 마치 미친 사람처럼, 백치처럼

인간 만사를 모두 분간하지 못하게 되었으니.

# 떠도는 인생은 한정이 있으나 회포는 끝이 없어

김일손 | 둘째 형 기손驥孫의 죽음에 부쳐祭仲兄梅軒公文

조선시대 때 사초史草(역사 편찬의 자료가 되는 기록)로 인해 일어난 대표적인 사건이 바로 무오사화戊吾士禍이다. 무오사화는 연산군燕山君 때 일어났지만 그 발단은 성종 때 학자 김종직金宗直이 쓴 조의제문弔義帝文에서 비롯되었다. 이는 항우項羽에게 죽은 초나라 회왕懷王, 의제義帝를 조문하는 내용이었지만 누가 보더라도 수양대군(세조)과 단종을 빗댄 글이었다. 김종직은 세조에게 죽임을 당한 단종을 의제에 비유함으로써 세조의 왕위 찬탈을 비난했다. 그러니 세조로부터 왕위를 물려받은 예종睿宗, 성종成宗, 연산군 역시 그 정통성에 금이 가는 건 당연했다.

사단은 김종직이 죽은 뒤에 일어났다. 〈성종실록〉을 편찬하던 중 책임자 이극돈李克墩이 사초를 검토하다가 김일손金馹孫이 작성한 사초에 자신의 비행非行이 기록되어 있음을 발견한 것이다.《조선왕조실록》의 근간인 사초는 8명의 사관이 궁중에서 교대로 숙직하며 조정에서 벌어지는 모든 정사와 회의에 참석해 국왕과 신료들의 일거수일투족을 상세히 적은 기록물로 한 번 작성되면 그 누구도 손을 댈 수 없다. 이에 김일손에게 앙심을 품은 이극돈은 호시탐탐 기회를 엿봤다. 그리고 얼마 후 김일손이 김종직의 〈조의제문〉을 사초에 기록한 사실을 발견하고 김일손과 김종직 일파를 불충不忠의 무리로 몰아가고, 사초의 내용을 연산군에게 몰래 전해 대규모 옥사獄事를 일으킨다. 이것이 무오사화이다. 이로 인해 김일손은 죽임을 당했고, 김종직은 무덤에서 꺼내져 부관참시 당해야 했다.

김일손은 문장이 뛰어났다. 하지만 두 형을 공경하고 사랑하는 마음이 너무 극진한 나머지 두 형 김준손金駿孫과 김기손金驥孫이 과거에 급제한 후에야 과거시험을 보았다. 그만큼 그의 사무치는 형제애와 문장은 글을 읽는 사람의 가슴을 아프게 한다.

다음은 그가 둘째 형 매헌梅軒 김기손의 죽음에 부쳐 지은 제문이다.

아, 형님이여, 형님은 지금 나를 버리고 아주 돌아가시렵니까. 나는 아직도 돌아가셨다고 믿어지지 않으니, 아마 슬픔이 과해 미친 것이 아니겠습니까. 어머니는 당상에 계시고, 누님은 편히 있으며, 형님은 국사에 분망하고, 아우는 곁에 있는데, 영靈만은 홀로 여기를 버리고 어디로 돌아가시는 겁니까. 장차 이곳을 버리고 저승으로 가시면 소친所親이 여기보다 더하단 말입니까. 어찌 골육의 사랑을 헌신짝 같이 버리신단 말입니까. 애첩愛妾이 슬피 울고, 종들이 떼를 지어 울부짖으며, 여러 조카들이 피눈물을 흘리고, 친한 친구가 와서 곡을 하는데, 형님은 홀로 듣지 못하고 한 번 눕고 일어나지 아니하니, 어찌 번거롭고 시끄러운 이 세상을 슬퍼하심이 이처럼 극단에 이르렀나이까.

아, 꿈이란 말입니까. 어제는 재미있게 노시더니 하루 사이에 말씀도 못하시고, 웃지도 못하시고, 쓰러져 누운 채 아무 감각이 없어 말도 그 뜻을 통할 수 없고, 병도 그 증세를 설명하지 못하며, 약을 써도 그 맛을 모르고, 침을 놓아도 통증을 알지 못하여 나로 하여금 한없는 슬픔을 알게 하니. 신이여, 신이여, 이 원망이 장차 무너지려 하민下民이 퍽이나 많은데, 형님에게 무슨 미움이 있으랴. 안회顏回가 수명이 짧은데다 원사原思가 항상 가난하였고, 강시姜詩가 아내를 쫓은 데다 맹동야孟東野가 아들이 없었으니, 인생의 궁독窮獨이 이보다 더한 것이 어디 있겠습니까.

아, 형님이여, 나의 애통을 알고 계십니까, 모르고 계십니까. 나는 형님의 죽음을 알지만, 형님은 나의 삶을 알지 못하는 것이 아닙니까.

아, 슬픕니다. 죽어서 정령이 없으면 그만이겠지만, 형님 같은 정령은 반드시 스스로 나의 정곡情曲을 아실 것이며, 이미 아실 것이라 한다면 어찌 여기서 나의 정곡을 털어서 정녕 말하지 못하오리까.

– 《탁영집濯纓集》

김일손은 이어서 그와 형의 나이가 아홉 살이 차이가 난다는 것과 효도와 우애가 남달랐던 형에 대한 이야기를 하며 명절이 돌아오면 말술을 준비해 가까운 이웃들과 즐거운 노래를 불렀던 것을 회고한다.

"평시에도 자기 자신의 득得이나 실失보다 세상의 돌아감에 더욱 마음을 썼던 형이 어느 곳에 가서 자욱한 먼지 속에서 헤매는 비부鄙夫들을 굽어보고 있느냐"고 묻는 글에는 형에 대한 간절한 애정이 듬뿍 담겨 있다.

내가 처음 아내를 맞이하니 형님은 충청도에서 와서 내가 집을 갖게 된 것을 누구보다도 더 기뻐하였습니다. 겸하여 이별의 정을 안고 다리를 맞대고 밤새도록 이야기를 나누다 보니 오경伍更의 닭이 울었지요. 또 어머니에게 청하여 좋은 전답과 얌전한 종은 내게 주게 하시고, 형님은 묵정밭(오래 버려두어 거칠어진 밭)과 어리석은 종을 차지해 떠났습니다. 그러나 지금은 사체四體가 이미 관 속에 들어서 내가 외쳐도 형님이 듣지 못하고, 형님이 외쳐도 내가 듣지 못하게 되었으니, 이승에서는 길이 형님과 더불어 막혔고, 저승에 가서도 만난다는 것이 기필하기 어려운 일이라, 천지가 무궁하고 우주가 공활空豁할 따름입니다.

나는 이 수 일 동안 마치 미친 사람처럼, 백치처럼 인간 만사를 모두 분간하지 못하게 되었으니, 형의 유골을 받들고 돌아가 선영에 장사를 지낸 후 다시는 벼슬을 구하지 아니하고 여생을 마칠까 합니다.

─《탁영집》

형의 죽음에 얼마나 상처가 깊었으면 '며칠 동안 미친 사람이 된 듯도 하고 백치가 된 듯도 하다'고 했을까. 그러면서도 어머니의 슬퍼함을 염려한 나머지 형의 영혼이 그의 꿈에만 들어오고 행여 어머니의 꿈에 들어가서 어머니의 잠 못 이루는 증세를 더하게는 하지 마시라고 부탁한다. 또한 형이 술을 좋아하여 방종하는 것을 어머니가 실망하셨고, 술이 결국 형의 수명을 단축시켰음을 회고하며 한 잔 술을 권하고 싶어도 권할 수 없음을 슬퍼하고 있다.

얼마 후 그는 형의 소상小祥에 즈음하여 슬프고도 애절한 제문梅軒公小祥祭文을 짓는다.

아, 해는 돌고 돌아 다함이 없는데, 인생은 한 번 가면 돌아올 줄 모르니, 길이 우주를 한탄할 뿐 다시 어디에 미치오리까. 늙으신 어머니께서 멀리 제물을 장만하여 형의 제사에 쓰게 하였는데, 형은 그 사실을 아십니까. 조씨에게 출가한 누이가 서울에서 제물을 준비하여 그 아들 여우如愚로 하여금 술을 올려 슬픔을 고하니 형은 흠향하소서.

형이 떠나신 후부터 혼백이 꿈에 서로 접촉되어 한 달을 사이에 두고, 혹은 열흘을 사이에 두고, 혹은 하루를 사이에 두고, 혹은 밤마다 기뻐하는 것도 같고, 성낸 것도 같으며, 답답한 것도 같고, 수심에 잠긴 것도 같으며, 활발한 것은 지난날의 평상시와 같고, 가물가물 한 것은 대점大漸(병이 위독함)의 때와 같으므로 놀래서 깨닫고 스스로 한탄하며 눈물이 뺨에 젖습니다. 혹시나 형이 이즈음에 편안하지 못한 일이 있으십니까. 까마귀는 덕에 울고, 묵은 풀은 우거졌는데, 바람에 임하여 한 번 통곡하니 초목도 함께 슬퍼합니다.

거년去年(지난 해) 봄에 칙명勅命을 받들고 영남에 가게 되었습니다. 그때를 틈타 늙으신 어머니를 뵙게 되니 창안백발蒼顔白髮이 몹시도 안타깝게 보였습니다. 어머니께서 말씀하시기를 "둘째가 뜻밖에 멀리 가버렸으니 실로 나를 버린 것이다"라고 하셨습니다. 그러나 어찌 그 말이 본마음이겠습니까. 어머니는 근년 들어 질병이 몸에서 떠나 체력이 조금도 쇠하지 아니하였고, 백씨伯氏(맏형)가 일찍이 천령天嶺의 원이 되어 봉양을 궐闕한이 없으니, 형이 만약에 이를 아신다면 응당 스스로 위안이 되실 것입니다. 나 또한 여러 해를 두고 벼슬살이를 했으니, 종당 서울에 오래 있을 것 같진 않습니다.

죽어서 만나는 일이 있다면 선인의 지팡이와 신발은 형이 반드시 받들고 뒤를 따를 것이며, 나와 백씨는 아직도 인간세계에 있으니, 늙으신 어머니의 봉양도 역시 지공하지 못한 것은 없습니다. 죽은 사람 산 사람이 서로 의지하매 오직 축사가 있을 뿐이나 유명幽明이 길이 다르니 어느 누구와 사연을 붙인단 말입니까. 비갈碑碣은 이미 준비되었으나, 시기가 아직 좋지 못하다하여 세우지 못하고 있으니, 머지않아 세우되 상기喪期를 벗어나지 않을 것이며, 유복자 여식은 장차 돌이 가까우므로 기어서 무릎에 오르며, 와기瓦器를 희롱하고 밥을 찾는데, 어미를 부를 줄만 알고 아비 이름은 부를 줄을 모릅니다.

나는 가족들과 더불어 슬퍼하고 기뻐하며, 밤낮으로 성정해서 시집 잘 가기를 바라고 있으니, 영靈이 와 주시겠습니까. 아이는 능히 궤연을 지키고 무덤을 모실만하니 영은 아울러 짐작하소서.

아, 부생浮生은 한정이 있으나 회포는 끝이 없으며, 수명은 길고 짧은 것이 이미 정해져 있으니, 선현 역시 죽어서 필경에는 함께 가는데, 나는 또 무엇을 슬퍼하오리까.

- 《탁영집》

"떠도는 생은 한정이 있고, 회포는 끝이 없다."

이 말은 진실이다. 가버린 사람을 그리워한들, 그 사람을 못 견디도록 사랑한들, 그것이 영원할 수 없기 때문이다.

모든 것은 지나간다. 그 길목에서 애써 손을 흔들어 봐야 아무 소용없다. 알고 보면 그의 이름을 부르는 것도 잠시이고, 고운 얼굴과 맑은 목소리를 기억해낼 시간도 찰나에 불과하다.

산 사람은 말한다. "죽은 사람과 산 사람이 서로 의지한다"고. 그래서 "내가 이토록 그리워하는데 어찌 아무런 대답이 없느냐"고. 생과 사가 가까운 데 있어서 만날 수 있는 것이라면, 그리하여 영혼이 있는 것이라면, 누군가가 간절히 부르면 훠이훠이 다시 찾아올 수도 있으련만.

# 백아절현伯牙絶絃 _ 벗과 스승을 잃고

백아절현伯牙絶絃 _ '백아가 거문고 줄을 끊어버렸다'는 뜻으로, 자기를 알아주는 절친

한 벗, 즉 지기지우의 죽음을 슬퍼하는 말.

추운 새벽 발인하니 길은 눈과 얼음으로 가득하고…

홀로 서서 길게 통곡하옵니다.

# 홀로 서서 길게 통곡하니

이재성 | 연암의 죽음을 슬퍼하며 祭燕巖文

1805년(순조 5년) 10월 20일 연암은 서울 재동 집에서 69세의 나이에 죽음을 맞았다. 이에 그의 처남이자 평생의 벗이었던 중존仲存 이재성李在性은 제문을 통해 "보검이나 큰 구슬은 시장에서 살 수 없는 법이고 하늘이 내린 글이나 신비한 비결은 보통의 책 상자 속에 있을 턱이 없다"며 당대 빛을 보지 못한 그의 재능을 안타까워했다.

아아, 슬프다. 사람들은 말합니다. 문장에는 정해진 품평이 있고, 인물에는 정해진 평판이 있다고. 그러나 공을 제대로 알지 못하니 어찌 그럴 수 있겠습니까. 마치 저 굉장한 보물이 크고 아름답고 기이하고 빼어나지만 마음과 눈으로 보지 못하면 부르기 어려운 것과도 같습니다.

용을 아로 새긴 보물 솥은 밥하는 솥으로는 쓸 수 없고, 옥으로 만든 술잔은 호리병이나 질그릇으로는 어울리지 않습니다. 또 보검이나 큰 구슬은 시장에서 살 수 없는 법이며, 하늘이 내린 글이나 신묘한 비결은 보통의 책속에는 있지 않는 법입니다.

신령한 구슬은 잊은 것을 생각나게 합니다. 끊어진 줄은 아교가 잇는가 하면 혼을 부르는 향도 있습니다. 그러나 처음 듣고 처음 보면 이상하고 기이할 수밖에 없습니다. 그래서 한 번 써보지도 않고서 대수롭지 않게 생각하지요.

아아, 우리 공은 어찌 그리 성대하며, 누가 그 심오한 이치를 깨달았는지요. 우리 공은 남과 화합하지 못해서 이웃이 드물었습니다. 제자들은 땀을 뻘뻘 흘리면서 공을 따라 배우려 했지요. 세상에 크게 쓰이지 못한 공을 위해 그 누가 탄식하겠습니까. 나의 서투른 글 솜씨를 때로는 칭찬해주시기도 했고, 상자에 손수 지으신 글 백 편을 넣어두시고는 제가 비평해주는 것을 기뻐해주셨지요.

아아, 우리 공은 그 사귐이 연배를 넘어 선배에까지 미쳤습니다. 우리 아버지께서 감복하신 것은 그 고결함과 지조 때문이었으니, 잘 알려지지 않은 언행과 덕행을 제문에다 낱낱이 쓰셨습니다. 하지만 어이해 붓을 들어 비문을 짓지 못하셨나요.

저는 형제가 없어 공을 형님처럼 여겼습니다. 머리가 허옇도록 늘 그랬으니 새삼 뭘 말하겠습니까. 숲이 우거진 저 무덤은 옛날 사시던 연암골에 가까운데, 현숙했던 부인께서 먼저 잠들어 계시지요.

추운 새벽 발인하니 길은 눈과 얼음으로 가득하고, 병으로 인해 멀리 전송하지 못하옵고 홀로 서서 길게 통곡하옵니다. 상향.

- 《지계집芝溪集》

연암은 생전 많은 사람들의 제문과 묘지명을 지었지만 정작 자신을 위해서는 하나도 짓지 않았다. 이에 처남 이재성이 손수 지은 위 제문을 통해 연암의 성품 및 벗과의 사귐이 어떠했는지 알 수 있다.

연암은 그 자신을 다음과 같이 평한 바 있다.

"광달曠達하기는 장자莊子와 같고, 불공하기는 유하혜柳下惠와 같고, 술을 마시는 것은 유령劉伶과 같고, 책을 쓰는 것은 양웅楊雄과 같고, 스스로 견주기는 제갈량諸葛亮과 같다."

대체로 그의 말은 맞는 듯하다. 올곧게 한 생애를 살았고 수많은 저작들을 남겨 후세의 교감이 되고 있으니 말이다.

누구에게나 똑같이 주어진 한 평생인데도, 그 생을 남김없이 세상을 위해 쓰고 가는 사람이 있는가 하면, 주어진 재능이나 능력을 오로지 자신을 위해서만 쓰다 가는 사람도 있다. 그런 점에서 연암이야말로 질곡의 시대를 부끄럽지 않게 살다간 위인으로 평가될 만하다. 그래서일까. 이재성의 제문을 읽노라면 얼핏 가슴이 아려온다.

어린 딸은 응애응애 울며 슬픔을 알지 못하니,

비록 자란다 한들 어찌 아버지의 얼굴이나 알랴.

# 그대도 아마 저승에서 눈물 흘릴 것이다

이덕무 | 서사화徐士華의 죽음을 애도하며悼徐士華文, 挽徐士華

"늘 한적한 곳에서 홀로 이 사람을 생각하되 만나볼 수 없으니 한숨 쉬며 탄식하지 않을 수 없다. 처음의 뜻을 이루지 못한 것이 유감이요. 좋은 친구를 다시 만나기 어려운 것이 슬프다. 어려서부터 학문을 좋아하여 어른이 글을 가르쳐줄 때 이해가 되지 않으면 문득 책을 바라보고 울면서도 해석한 뒤에야 겨우 기뻐하였다."

이는 조선 후기의 학자이자 정치가인 이서구李書九가 지은 이덕무의 묘지명 중 일부이다. 평생을 가난하게 살았으면서도 이를 민망하게 여기지 않고 늘 높은 기상을 지녔던 이덕무. 그런 까닭에 이서구뿐만 아니라 많은 선비들이 그와 사귀는 것을 기쁘게 여겼다.

다음 글은 이덕무가 젊은 나이로 유명을 달리한 서사화徐士華를 위해 지은 제문이다.

경진년(1760년, 영조 36년) 모월 모일에 친구인 나는 사화의 죽음을 듣고 눈물을 흘리며 글을 지어 이렇게 애도한다.

아, 슬프다. 태어나고 장성하고 늙고 죽는 것은 사람의 네 번 변함이다. 생명을 가진 자가 피할 수 없는 일이니 또한 슬픈 일이다. 지금 그대의 죽음은 몸도 아직 늙지 않았고 원기도 왕성했었다. 늙은 사람이 죽어도 오히려 슬픈데 더구나 그대와 같은 젊은이임이랴.

좌백佐伯(이광보의 字)이 전하기를 "사화가 죽었네"라고 하기에 나는 마침 어떤 사람과 이야기를 하고 있다가 그 소리를 듣자 황급히 말하기를 "사화가 누구야, 사화가 누구야, 사화가 누구야"라며 세 번이나 반복하다가 바로 탄식하여 말하기를 "서군 사화가 죽었단 말인가. 내 평소에 보니 사화가 음식도 줄지 않고 행보도 이상이 없었는데 어찌하여 죽었단 말인가. 그의 나이를 헤아려 보니 스물일곱이고, 그의 얼굴을 생각해보니 얼굴도 나이와 같았는데 또한 어찌하여 그렇게 되었느냐"며 되물었다.

아, 그대의 집이 너무 가난하여 사방으로 이사를 다니며 세상을 헤매면서도 늙은 어머니를 주리지 않게 모셨으니, 내 일찍이 그대를 칭찬하여 말하기를 "사화는 집이 가나하여도 능히 그 어버이를 편안하게 모시니 그의 효도하고 공순함을 남이 알기 어렵다"고 했었는데, 어찌하여 그 정성을 다하지 못하고 죽음에 이르렀는가.

파뿌리처럼 머리가 하얗게 샌 어머니는 관을 어루만지며, "내 아들아, 내 아들아! 나를 버리고 어디를 가냐"라며 통곡하고, 아름답고 연약한 아내는 어린아이를 안고 울면서 말하기를 "우리 낭군이시여, 우리 낭군이시여! 어머니와 어린아이를 버려두고 어디로 가십니까"라고 하는데, 어린 딸은 응애 응애 울며 슬픔을 알지 못하니, 비록 자란다 한들 어찌 아버지의 얼굴이나 알랴. 그대도 아마 저승에서 눈물 흘릴 것이다.

아, 금년 봄에 호상에서 그대를 만나 하루 종일 담소할 때 그대가 말하기를 "나는 비로소 고양高陽 땅에 정착하여 위로는 어머니를 모시고 아래로 처자를 거느려 살아가며 좌우에 도서를 쌓고 《범수전范誰傳》을 천 번 읽으니, 이만하면 나의 생애를 보낼 수 있다"라고 하기에, 내가 웃으면서 말하기를 "잘 되었네. 내 마땅히 가보겠네"라고 했는데 그날이 천고의 영결永訣이 될 줄이야 누가 알았겠는가!

아, 무인년(1758년, 영조 34년) 여름에 그대와 나, 좌백佐伯과 운경雲卿(조희룡의 字)이 함께 모여 웃고 떠들며 해학하기를 친형제와 같이 하였는데, 좋은 일은 항상 있지 못하여 운경은 이미 죽었고, 좌백은 이사를 하였으며, 그대는 타향으로 떠돌아다녔지. 나는 이때 이미 사람의 일이란 변하기 쉬움을 깨달았었는데, 오늘 그대마저 죽으니 또한 다시 인간 세상이 하룻밤 꿈과도 같음을 깨닫겠네.

27년은 나는 새와 같이 빠르게 지나쳐 다른 사람들 또한 병 없이도 아프게 하여 마치 죽음으로 다가가듯 흘러가버렸구나. 그대의 늙은 어머니와 연약한 아내는 의지할 곳이 없으니 무엇을 하여 먹고 살며, 무엇을 하여 옷을 입겠는가. 또 응애응애 포대기 속에서 우는 아이는 반드시 잘 자라리라고 어떻게 믿을 수 있겠는가.

예전에는 《한서漢書(한나라 때 가의, 사마상여, 사마천 등이 쓴 책)》와 《진필眞筆(진나라의 왕희지·왕헌지 등의 명필들이 쓴 필첩)》이 책상 위에 쌓였더니 오늘은 붉은 명정에 흰 관만이 방 안에 놓여 있고, 예전에는 편지를 부쳐 안부를 물었는데, 오늘은 제문을 지어 정령精靈에 조상하는구나.

길이 멀고 막히어 친히 전을 드리며 곡하지 못하고 또 대신 제사를 지내게 할 만한 사람도 없어서 다만 애도문을 지어 서쪽을 향하여 크게 읽고 이어 불사르노라. 슬프다, 사화여. 아는지 모르는지.

아아, 슬프도다.

-《청장관전서》권4

이덕무와 교류를 나눈 서사화는 비록 가난했지만 그 가난을 내색하지 않고 어머니와 처자식을 부양하다가 스물일곱의 젊은 나이에 죽고 말았다. 함께 놀고 웃으며 친형제같이 지내던 것이 엊그제 같은데 말이다. 서사화를 잃은 슬픔은 다음 글 〈만서사화挽徐士華〉에서 절정을 이룬다.

꿈에 서로 보고 눈물 줄줄 흘렸는데
고양군 옛 친구 일은 이미 그만이로다
아내는 깨진 벼루 거두면서 살 길을 슬퍼하고
여종은 사화가 입던 상복 걸고 생전을 형상한다
종요와 왕희지의 법첩 반쯤 꾸미다 두고서
당송의 기이한 시는 아직 다 베끼지 못했구나
친구가 있긴 하나 늘 병석에 누워있어

빈소 앞에 구운 닭 한 마리 올리기도 어려워라

강가 정자의 봄 방문을 잊어지지 않은데

어느덧 영원한 이별을 그 누가 알았으리오

차마 이 사람을 저 흙 속에 묻어지 못하니

흩어지는 고양의 옛 벗들이 처량하기만 하구나

마루 장막엔 글 소리가 들리는 듯 하고

벼루갑에는 여전히 먹 향내가 덮여 있어라

혼백이 돌아오자 자모가 통곡하는데

백 년을 홀로 산악에 축수하던 그 효심이어라.

-《청장관전서》권2

관을 만지고 울면서 이르노라.

무덤에 묘지를 쓰지 않더라도 덕보의 이름은 길이 전해질 것이다.

# 관을 만지고 울면서 이르노라

박지원 | 덕보德保 홍대용洪大容의 삶을 돌아보며 洪德保墓誌銘

 

 

진정한 친구란 살면서 어쩔 수 없이 부딪치게 되는 사람이 아닌 내가 선택한 사람이란 말이 있다. 박지원이 쓴 덕보德保 홍대용洪大容의 묘지명을 보면 그 말을 실감할 수 있다. 두 사람은 오랫동안 친교를 맺으면서 학문적 교류를 나눈 사이였다.

덕보德保(홍대용의 字)가 별세한 지 사흘이 지나서 아는 사람 하나가 사신 행차를 따라 중국으로 가는데 도중에 삼하三河를 지나갈 것이다. 삼하에는 덕보의 친구가 한 사람이 있으니 이름이 손유의孫有義요, 호는 용주蓉洲다. 몇 해 전 내가 북경에서 돌아오는 길에 용주를 찾다가 만나지 못해 편지를 써서 덕보가 남녘에서 원 노릇을 하고 있다는 소식을 전하고, 우리나라의 물산 몇 가지를 놓아두고 왔다. 용주가 그 편지를 보고 응당 내가 덕보의 친구라는 것을 알았을 것이다. 그래서 중국 가는 사람에게 부탁해서 다음과 같이 기별하였다.

"건륭 계묘癸卯 모월 모일에 조선 박지원은 용주 선생에게 말씀드립니다. 조선 전 영천군수 남양 홍담헌은 이름은 대용이요, 자는 덕보라는 사람으로 금년 10월 23일 유시酉時에 영영 일어나지 못하고 말았습니다. 평소에는 아무 탈이 없었는데 갑자기 중풍으로 입이 삐뚤어지고 말을 못하더니 얼마 지나지 않아 이 지경에 이르렀습니다. 나이는 53세입니다. 그의 아들 원薳이 설움과 슬픔으로 인해서 제 손으로 편지를 쓰지 못하며 또 양자강 이남까지는 소식을 전할 길이 없습니다. 바라건대 선생께서 오강(지금의 강소성 항주 일대)까지 대신 소식을 전해서 천하에 남아 있는 덕보의 친구들로 하여금 그가 돌아간 날짜나마 알게 하신다면 이 세상과 저 세상에서 함께 한이 없이 될 것입니다."

중국으로 가는 사람을 보낸 다음 나는 친히 항주抗州 사람들의 글씨·그림·편지·시문 등 모두 10권을 찾아내서 관 앞에 벌여놓았다. 이에 다시 관을 만지고 울면서 이르노라.

아아, 덕보는 영리하고 민첩하고 겸손하고 우아하였으며, 식견이 심원하고 아는 것이 정밀하였다. 특히 천문학과 수학 등에 밝아서 연구를 쌓고 고심을 거듭한 결과, 자신만의 창견으로 많은 관측기구를 만들었다. 처음 서양 사람들은 땅이 둥글다고만 말하고 돈다고는 말하지 못하였는데, 덕보는 오래 전부터 땅이 한 번 돌아서 하루가 된다고 말하였다. 그 학설이 하도 미묘하고 심오해서 미처 책으로 저술하지는 못했으나 만년에는 땅이 돈다는 것을 더욱 믿어 의심치 않았다.

　세상에서 덕보를 존경하는 사람들도 그가 일찍부터 과거를 보지 않고 명리名利와 담을 쌓으며 조용히 들어앉아 좋은 향이나 피우고 거문고와 가야금이나 타며 혼자서 담박하게 살며 세상 밖에 서려는 것으로만 평가할 뿐이었고, 그가 어떤 일이든지 맡고 나서서 어지러운 것을 정리하고 그릇된 것을 교정할 수 있으며, 전국의 재정을 관리할 만하고, 먼 나라로 사신도 갈 만하며, 사람들을 통솔하는 데 특별한 재주가 있는 것에 대해서는 누구도 잘 알지 못했다. 오직 남에게 드러내기를 좋아하지 않아 두어 고을의 원을 지내는 데는 그저 서류를 잘 정돈하고 매사를 미리 준비해서 아전들이 순종하고 백성들이 따르게 했을 뿐이었다.

　일찍이 그는 숙부가 서장관으로 가는 길을 따라 북경에 갔다가 유리창琉璃廠(북경의 골동품, 고서점 거리)에서 육비陸飛, 엄성嚴誠, 반정균潘庭均을 만났다. 이 세 사람은 문장과 예술로 이름난 선비들이었다. 하지만 나중에는 그들이 오히려 덕보를 큰 학자로 떠받들었다. 그들과 필담을 나눈 수만 마디 말은 경전의 뜻과 천명, 인성과 고금에 나온 대의大義에 대한 논변과 해석이었는데, 모두 폭넓고도 빼어나 이루 말할 수 없이 즐거웠다. 마지막으로 헤어지려고 할 때 서로 눈물을 흘리면서 말하기를 "한 번 이별하면 다시 보지 못할 것이니 황천에서 서로 만날 때 아무 부끄러움이 없도록 생시에 학문을 더욱 연마하기를 맹세하자"고 하였다. 그 중 엄성과는 더욱 뜻이 맞아 '은근히 점잖은 사람은 때에 따라 벼슬을 하기도 하고 않기도 한다'고 암시했더니 그가 곧 크게 깨닫고 남방으로 돌아갔다가 수년 뒤 복건에서 객사하고 말았다. 이때 반정균이 편지로 덕보에게 기별을 했고 덕보는 추도문과 향을 손유의孫有義에게 부탁해서 전당으로 보냈는데, 그날 저녁이 바로 엄성의 대상大祥이었다. 이에 많은 사람들이 덕보가 신명을 느낀 것이라고 말하며 경탄하였다. 대상을 지낼 때는 엄성의 형 엄과嚴果가 향을 피우고 그 글을 읽으면서 첫 술잔을 부었다.

그 후 엄성의 아들 엄앙嚴昻이 덕보를 백부라고 부르면서 자기 아버지의 문집인《철교유집鐵橋遺集》을 보냈는데 9년 만에야 겨우 돌아왔다. 특히 그 문집에는 엄성이 직접 그린 덕보의 작은 초상화도 있었다. 절강 일대에서는 이 이야기가 신기한 소문으로 널리 전파되었으며, 이 이야기를 제목으로 삼아 많은 사람들이 시와 산문을 다투어 지었다. 그 중 주문조朱文藻라는 사람은 편지로 다음과 같은 사실을 알려주었다.

"아아, 슬프다. 그가 살아 있을 때 낙낙한 것이 마치 왕고往古의 기적奇蹟과도 같았으니, 이에 그의 이름을 반드시 널리 전하려고 함이라. 비단 양자강 남쪽에서만 이름이 퍼질 것이 아니다. 그 무덤에 묘지를 쓰지 않더라도 덕보의 이름은 길이 전해질 것이다."

고고考(돌아가신 아버지)는 휘諱(살아생전의 이름)가 역櫟으로 목사牧使를 지내셨으며, 조고祖考(돌아가신 할아버지)는 휘가 용조龍祚로 대사간을 지내셨다. 또 증조고曾祖考(돌아가신 증조할아버지)는 휘가 숙潚으로 참판參判을 지내셨으며, 모母는 청풍 김씨로 군수 방枋의 딸이다.

덕보는 영종英宗 신해년(1731년, 영조 7년)에 나서 벼슬은 음직蔭職으로 선공감 감역에 제수된 후 이어서 돈녕부 참봉으로 옮겼으며, 세손世孫 익위사 시직을 거쳐 사헌부 감찰로 옮긴 후 종친부 전부에 전직되었다. 외직으로는 태인 현감이 되었다가 영천군수를 거쳐 노년의 어머니를 위해 사직 후 고향으로 돌아왔다. 부인은 한산韓山 이홍중李弘重의 딸이요, 자녀로는 1남 3녀를 낳았으니, 사위는 조우철趙宇喆, 민치겸閔致謙, 유춘주兪春柱가 있다. 그해 12월 8일 청주 모 땅에서 장사를 지냈다

─《담헌서湛軒書》외집 부록

연암이 지은 홍대용의 묘지명은 보통의 묘지명과는 다르게 쓰였다. 삶의 발자취를 순차적으로 서술한 뒤 평하는 묘지명의 격식에서 벗어나 살아생전 중국학자들과 교류했던 내용과 후일담을 적었기 때문이다. 나아가 홍대용이 한 고을의 훌륭한 선비나 서너 고을의 원으로 그치는 것이 아니라 몇 안 되는 훌륭한 선비임을 알리고 그 이름이 나라 밖 여러 곳에 길이 남을 것임을 설파하였다. 그리고 마지막으로 집안 내력을 적고 '12월 8일 청주 땅에서 장사를 지냈다'며 긴 묘지명을 끝마친다.

연암은 체면치레를 하고자 홍대용의 묘지명을 지은 것이 아니었다. 벗 홍대용의 인품에 반한 나머지 그의 내면과 인간애에 초점을 맞춰 마음속에서 우러나오는 진실을 그대로 담았다. 이를 통해 보건대, 연암은 어쩌면 홍대용의 묘지명을 통해《맹자》〈만장〉에 나오는 "한 고을의 훌륭한 선비라야 한 고을의 훌륭한 선비를 벗 삼을 수 있으며, 천하의 훌륭한 선비라야 천하의 훌륭한 선비를 벗 삼을 수 있다"는 말을 하고 싶었던 것인지도 모른다. 그만큼 좋은 벗을 잃은 그의 상심은 컸다.

아아, 푸른 하늘이여! 한 친구를 남기지 않는구나.

붉은 깃발은 나부끼고, 강물은 가득 차 흐른다.

# 거듭 슬픔만 더하게 되니

홍대용 | 주도이周道以의 죽음을 슬퍼하며 周道以哀辭

주도이周道以는 조선 중기의 문신이자 성리학자로 우리나라 최초의 서원인 〈백운동서원〉을 세운 주세붕周世鵬의 후손이다. 하지만 그는 과거시험보다는 신문명에 관심이 많았던 듯하다. 이에 도봉산 석실서원石室書院에서 공부하던 중 신문명을 배우겠다며 북경으로 건너가 4년 동안 신문명과 신학문을 열심히 배웠고, 석실로 다시 돌아와 공부하던 중 그만 병에 걸려 죽고 말았다. 이때 사귀었던 벗 중 한 명이 담헌 홍대용이다. 알다시피, 홍대용 역시 신문명과 신학문에 관심이 아주 많았던 터였다. 하지만 애석하게도 주도이의 죽음으로 인해 두 사람의 사귐은 그리 오래가지 못했다.

다음은 홍대용이 주도이의 죽음을 슬퍼하며 애달픈 마음을 담아 지은 제문이다. 이를 통해 홍대용은 주도이의 불우했던 한평생을 서럽게 펼쳐놓는다.

내가 아는 주도이는 궁벽한 시골에서 태어났지만 의리 있는 일에 뜻을 두었으니, 지혜롭지 않다 할 수 없으며, 먼 천 리 길을 가는 동안에도 스승을 따르고 재물과 벼슬은 마음에 두지 않았으니, 의리가 있지 않고서야 능히 할 수 없는 일이다. 또한 4년 동안 연경에 들어가 배우면서 떠돌아다니는 나그네 신세를 감수하고, 병들어 죽는 지경에 이르러서도 후회하지 않았으니, 용기가 없는 사람이라 할 수 없을 것이다.

애석하도다, 성취함 없이 젊어서 죽은 도이여. 도이는 칠원漆原 주씨의 아들로 그 조상에 신재愼齋 선생이란 분이 계셨다. 그는 도리를 알고 문장에 능해서 동국에 드러난 사람이었고 보면 대개 그의 연원은 유래가 있다.

도이는 외모가 깨끗하고 말은 간명하여 성명聲名을 멀리하고 재물과 관직에 뜻이 없었으니, 그것은 진실로 그의 천성이었다. 젊어서 배울 기회를 잃어 사장詞章에 졸렬했으나 오직 도를 구하는데 뜻을 두어 농사를 짓는 틈틈이 노력하였다. 그는 서울은 인물과 문명이 모이는 곳이라고 생각하고 험난한 길을 넘고 괴로움을 견디면서 섬촌蟾村(민우수의 字) 문하에서 폐백을 드리고 미호渼湖(김원행의 字)에게 글을 배웠다. 북한산의 사원寺院과 도봉산의 서원書院, 미천尾泉의 정사精舍, 석실石室의 사우祠宇에서 온갖 괴로운 일을 겪으면서도 더욱 스스로를 연마하기를 수 년 동안 하였는데, 그의 지식이 나날이 진보되고 행실이 나날이 장해지자 고향으로 돌아가 사람들을 만났다.

그가 처음 고향을 떠날 적에는 그를 비웃지 않는 사람이 없었다. 하지만 그가 고향에 돌아오자 모두들 탄복하였다. 그리하여 향당鄕黨의 준수한 자제들도 차츰 공부할 마음과 옛것을 사모하는 뜻을 갖게 되었다. 이것으로 보아 도이의 '배우기 좋아함'은 자신의 몸부터 성실히 해서 남에게까지 영향을 미치게 했음을 알 수 있다. 그가 다시 돌아왔을 때는 그의 아내가 임신 7개월이었다.

아아, 신혼 시절은 누구나 지극히 사랑하는 것이요, 아들을 안는 즐거움은 인생의 지극한 경사이거늘, 도이는 초연히 돌아보지 않고 떠나갔으니, 또한 어질지 않은가. 자칭 재주와 덕이 있다는 사람들을 보면 앉아서 말할 적에 "처자쯤은 연연하지 않는다"라며 큰소리치지만, 막상 변고가 생기고 시세가 급박해지면 당황하고 피눈물을 흘리어 구구한 아녀자와 같은 짓을 하곤 한다. 이를 도이에게 비긴다면 과연 어떻겠는가.

도이는 원래 몸이 약해 잘 아픈데다가 젊은 시절 타향을 떠돌며 고생을 했던 까닭에 갑자기 병을 얻어 갑술년 봄에 석실산石室山에서 죽고 말았다. 그곳에 다시 온 뒤 고향에 돌아가지 못했고 아이가 나서 해가 지나도록 보지 못한 채 죽은 것이다.

아아, 슬프다. 하늘이 착한 사람에게 이와 같은 참혹한 화를 주는 것은 무엇 때문인가. 만약 도이가 배움에 뜻이 없이 전야田野에 숨어서 농상農桑에 힘쓴 나머지 대추와 밤을 먹고 아내와 자식이나 끌어안고 몸을 편하게 했던들 그의 죽음이 이렇게 갑작스러웠을까. 그렇게 했다면 인생의 낙 또한 족했을 것이다. 그런데도 친척과 처자를 버리고 쓸쓸한 물가에서 공부에 몰두하다가 천 리 밖에서 죽었으니 그의 뜻은 과연 무엇을 성취하였는가. 그렇다면 사람이란 배울 필요도 없고 배운다 하더라도 과연 무엇을 하겠는가.

… (중략) … 도이가 죽자 사대부들은 그를 알았던 사람이건 몰랐던 사람이건 가리지 않고 놀라고 슬퍼하고 애석하게 여기지 않은 사람이 없었다. 다투어 부의賻儀를 하였고, 심지어 그의 고향으로 반구返柩해서 돌아갈 때는 수령들도 접경에 나와 자기의 도리를 다하지 못할까 두려워했다.

아아, 작년 가을에 그대를 처음으로 석실에서 만나 거처를 함께 하기 불과 수십 일에 앞으로 살면서 더욱 선善을 권하고 허물을 지적하기로 백 년을 기약했었는데, 이제 하루아침에 그대를 잃어버렸으니 또한 슬프지 않겠는가.

그가 죽었을 때 나는 마침 외지外地에 있어서 미처 듣지 못하였고 반구해서 돌아갈 때도 끝내 관을 어루만져 울지도 못했으니, 도이의 영혼이 진실로 안다면 반드시 한스럽게 여길 것이다. 듣건대, 도이의 남은 아들이 그의 아버지를 닮았다고 하니, 하늘이 앎이 있다면 장래에 복으로 갚아주지 않겠는가. 가령, 내가 가까운 거리에 있다면 마땅히 인도해서 사랑하고 키우고 길러서 지식智識을 얻은 뒤에 그 아비의 일을 알려주어 마침내 그 아비의 성취하지 못했던 뜻을 성취하도록 할 것인데, 거리가 멀어 이룰 수 없이 거듭 슬픔만 더하게 되니 애통하기 그지없다. 반구하던 날 제문을 지어 슬퍼한 선비들이 매우 많았을 것인데, 하물며 그대를 사랑함에 돈독하고, 그대를 슬퍼함에 지극한 나로서 어찌 다른 사람에게 뒤질 수 있겠는가.

돌아보건대, 졸렬한 나의 문장으로는 능히 후세의 선비들로 하여금 "도이라는 사람은 세상에 뛰어난 기지를 가졌으면서도 불행하여 단명했다"라는 사실을 알 수 있도록 대필로 선양하지 못하고, 다만 거친 말과 짧은 글귀로 지워버릴 수 없는 평생 경력을 대강 서술하여 나의 슬픔을 쏟아버릴 뿐이다. 이것이 어찌 그대의 이름을 영원히 남길 수 있으랴.

－《담헌서》 내집 권4

홍대용은 주도이의 아들이 가까이 있으면 도와주어야 하는데 거리가 멀어 도와줄 수 없음을 한탄하며 제문을 마무리한다.

검산黔山은 뾰족뾰족, 미수渼水는 콸콸, 미쁘다! 온화하기가 옥과도 같도다. 조각배 타고, 삼주三洲에 띄워 맑은 술을 서로 주고받았지. 고운 난초에 서리가 내렸도다. 아아, 푸른 하늘이여! 한 친구를 남기지 않는구나. 붉은 깃발은 나부끼고, 강물은 가득 차 흐른다. 저 조령鳥嶺 기슭에 고향이 가까웠다. 바람 같은 천리마가 중도에서 숨겼네. 우뚝한 무덤을 만든 다음, 영혼은 어디로 가는가. 숲에는 새가 울고, 못에는 고기가 논다. 나는 그대가 좋아하던 것을 생각하는데, 그대는 어찌 말이 없는가. 산에는 구름이 있고, 언덕에는 꽃이 피었네. 천 리 길에 애사를 드리니, 한스럽지만 슬퍼한들 무엇하리.

－《담헌서》 내집 권4

가는 사람을 어찌 붙잡을 수 있으랴. 그대가 좋아했던 그 많은 것들이 이젠 더이상 그대의 것도, 나의 것도 아니려니. 이제 모두 지나간 것이 되고 말았는데.

선생의 목소리와 모습이 영원히 가려져버리니

이제 누구에게 의탁해야 하는 것인지요.

생각을 글로 적자니 슬픔으로 가슴이 멥니다.

# 남기신 간찰을 어루만지며 울자니

안정복 | 스승 성호星湖 이익李瀷의 죽음을 슬퍼하며 祭星湖先生文

성호星湖 이익李瀷의 학문을 계승한 안정복은 성호학파 학자들과 교류하며 우리 역사의 정통성과 독자성을 내세워 훗날 민족사관 형성의 기초를 제공하는데 크게 기여하였다. 뿐만 아니라 그는 전통적 봉건체제가 무너져 가고 중국을 통해 전래된 이단적 서학의 충격 속에서 조선의 전통적 가치와 유교이념을 되살리되 합리적으로 개진하기 위해 고민했던 인물이기도 했다.

그는 정치적으로는 비록 불행한 시대를 살았지만 사상적으로는 비교적 자유롭고 개방적인 시대를 살았다. 그래서일까. 그가 우리 역사에서 차지하는 비중은 그리 적지 않다. 나아가 역사적 감각과 학문, 사상체계를 합리적이고 실증적으로 정립하고자 했던 그의 학문관 역시 높게 평가되고 있다.

다음은 그가 스승 이익의 죽음을 슬퍼하며 지은 제문이다.

아, 슬픕니다. 선생이 이렇게 되셨단 말입니까. 강의剛毅(강직하고 굽힘이 없음)하고 독실함은 선생의 뜻이요, 정대하고 광명함은 선생의 덕이었습니다. 정심精深하고 광박廣博함은 선생의 학문이며, 그 기상은 온화한 바람, 상서로운 구름과 같고, 그 회포는 가을날의 달과 얼음을 넣어두는 옥항아리와 같았는데, 이제 다시 볼 수 없게 되었으니 장차 어디로 의귀依歸해야 한단 말입니까.

아아, 슬픕니다. 그 도로서 말하자면 지난 성인을 이어 후학을 열어줄 만했고, 그 나머지를 미루어보면 백성들을 보호하고 임금을 존숭할만 했으나, 도리어 액궁厄窮을 당하여 시행하지 못했으니, 이는 천리天理의 알기 어려움입니다. 선생에게야 비록 하늘의 뜬구름과 같은 것이겠지만 우리들의 입장에서 말하자면 어찌 하늘에 호소하고자 하면서도 인因할 바가 없는 것이 아니겠습니까.

아, 소자가 비록 문하門下에 이름을 의탁한 18년의 세월 동안 선생님의 얼굴을 뵌 적은 비록 드물었으나 손수 편지로 가르쳐주신 것은 빈번하였습니다. 만약 이러한 증세가 조금 나아지면 사가 함장函丈을 다시 한 번 모실 수 있을 것이라 여겼더니, 어찌하여 제 소원을 이루기도 전에 문득 돌아가셨단 말입니까.

죽고 살며 없어지고 생기는 것은 하나의 이치로 귀결되는 것인 바, 세상을 싫어하여 구름을 타고 오르면 상제上帝의 고향에 이를 수가 있으니, 병학甁鶴을 타고 위로 오름은 선생에게는 즐거움이 되었으나, 남기신 간찰을 어루만지며 울부짖자니 소자의 애통함은 더욱 간절해집니다.

아, 슬픕니다. 선생의 병환에 몸소 가서 보살펴 드리지 못하였고 돌아가신 때도 친히 가서 초상을 치르지 못하니, 비록 병 때문이라고 하나 죽어서까지도 한이 될 것입니다. 소건素巾에 수질首絰을 더하여 조금이나 정성을 보이고 자식으로 하여금 대신 달려가게 하니 슬픈 회포를 어찌 감당할 수 있겠습니까. 몸이 쇠하다 보니 글이 되지 못하고 말에 조리가 없으나 존령尊靈이 계신다면 삼가 보아 이르소서.

아, 슬픕니다. 흠향하소서.

－《순암집》《순암선생문집》권20

1746년 서른다섯의 안정복은 예순다섯의 이익을 안산으로 직접 찾아가 만난 후 평생의 스승으로 삼는다. 그 후 18년간 사숙하며 온몸과 정성을 다해 존경했던 스승 이익을 위해 이렇듯 가슴 아픈 제문을 썼지만, 안타깝게도 지병 때문에 스승의 장례식에 갈 수 없었다. 장례를 치르기 하루 전 아들 경증景曾을 통해 닭 한 마리를 보내어 대신 곡하게 했을 뿐이다.

아, 슬픕니다. 저는 어리석고 어리석어 학문의 방법을 알지 못하다가 나이 서른이 넘어 비로소 선생을 찾아뵙고 병인년부터 무인년에 이르기까지 일 년에 한 번씩 방문하여 3년 사이에 4일간 선생을 모셨습니다. 직접 본 적은 드물었으나 가르치고 가다듬기를 지성스럽게 하셨고, 큰 길을 가르쳐주셨으나 저의 자질이 노둔한 데야 어쩌하겠습니까. 선생의 아들 순수靜叟는 높은 재주를 갖춘 훌륭한 인재로서 연배가 저와 비슷하고 훌륭한 명성을 계승하려는 뜻이 간절하였는데, 협흡協洽의 해에 그만 세상을 떠나 자식을 잃은 깊은 슬픔으로 건강을 해치고 말았습니다. 이때 시속의 일에 얽매어 있다가 휴가를 얻어 찾아가서 뵈었는데, 작별할 때에 선생께서 손을 손수 부여잡고 눈물을 흘리며 연연戀戀해 하셨습니다. 소자에게 무엇이 있어서 과분한 보살핌을 입었는지, 눈물을 감춘 채 하직하고 물러나올 때 선생의 은혜가 뼛속까지 사무쳤습니다.

이후로는 세상일이 방해가 많아 다시 가서 뵙지 못하고 또 병으로 들어앉게 되어 선생을 뫼시지 못하였습니다. 13년 동안 편지만 자주 왕래하고 직접 가르침을 받을 수가 없어 날마다 서쪽의 구름만 바라보다가 눈물을 흘리기도 하였습니다. 스스로 용렬하고 어리석은데다 기운도 가볍고 뜻도 약하므로 인욕人慾이 쉽게 발동하여 천리가 오래도록 그쳐버릴 수 있다고 생각하여 행여 말씀을 받들어 잘못된 부분을 보충할까 했더니 이제는 불가능하게 되었기에 심장이 떨어져나가는 것만 같습니다.

아, 슬픕니다. 지난해 초 여름에 손수 보내신 편지를 받들었을 때 "깊은 아픔이 있다"라고 하시더니 이것이 마지막 글이 되고 말았다니….

아, 슬픕니다. 일월日月이 머무르지 아니해서 장례 날짜가 다가와 상여를 이미 꾸미고 상여 줄도 매었습니다. 병들어 방에 누워 있는 몸이라서 장지에 가지 못하고 다시 자식을 보내 감히 영결하며 익힌 닭을 올려 비록 고인의 흉내를 내보지만 축실築室(공자가 세상을 떠났을 때 삼년상을 지낸 후에 다른 제자들은 다 돌아갔으나 자공은 혼자 여막을 짓고 3년을 더 지낸 후 돌아갔음을 이르는 말)의 성의는 공문孔門에 부끄럽기만 합니다. 행여 고질병이 조금 연장되어 곧바로 죽지만 않는다면 기필코 원양元陽(이구환의 字)과 더불어 좌우로 손을 이끌고 갈 것입니다. 선생의 목소리와 모습이 영원히 가려져버리니 이제 누구에게 의탁해야 하는 것인지요. 생각을 글로 적자니 슬픔으로 가슴이 멥니다.

아, 슬픕니다. 삼가 흠향하소서.

─《순암집》〈순암선생문집〉 권20

사람은 가도 사모하는 마음은 남는 법. 이에 그 목소리 그 모습은 지워지지 않은 채 시시때때로 가슴속을 헤집고 파고들어 결국 눈물을 쏟게 만든다.

재능은 있었으나 명이 짧음은 하늘의 뜻이거늘

어찌 공이 의도한 바라 하겠습니까.

# 좋은 벗을 잃은 외로움이 앞서

이 익 | 윤두서尹斗緒의 죽음을 슬퍼하며祭尹進士

흔히 영조시대 문예부흥이라고 말하는 것의 모든 기틀은 사실상 숙종시대에 그 밑거름이 만들어졌다. 특히 공재恭齋 윤두서尹斗緒는 바로 그 문화를 일구어낸 장본인이었다. 그는 시, 서화에 모두 뛰어나 삼절三絶로 불렸다. 그리고 그가 개척한 선구적 과제는 모두 후배들이 그대로 이어받아 실학은 성호 이익, 글씨 동국진체는 백하白下 윤순尹淳, 그림은 관아재觀我齋 조영석趙英祏이 마침내 하나의 장르로 완성하였다.

윤두서는 고산孤山의 증손이자 다산 정약용의 외증조부로 시서화 및 음악, 공예 등 다방면에 능통한 실학자였다. 나아가 겸재謙齋 정선鄭敾, 현재玄齋 심사정沈師正과 함께 조선 후기 삼재三齋로 꼽히는 화가이기도 하다.

학문에 정진하던 윤두서는 15세에 전주 이씨와 결혼하였고, 25세(숙종 15년)에 진사시에 합격했으나 벼슬에 나가지 않았다. 서인의 득세로 인해

남인이었던 그의 가문이 뜻을 펼 수 없었기 때문이다. 그런 나머지 자신의 마음속에 불타오르는 열정과 신념을 배출할 뭔가가 필요했다. 이에 학문이 아닌 예술을 통해 자신의 혼을 불살랐다.

그때 사귀었던 벗들 가운데 성호 이익의 둘째형 이서李漵가 있다. 이로 인해 성호 역시 공재의 영향을 받지 않을 수 없었다. 살아생전 성호는 두 형제가 공재로부터 박학博學한 면을 배웠다고 했다.

이러한 윤두서의 선구적 위업과 천수를 다하지 못한 안타까운 죽음에 성호 이익은 눈물을 흘리며 다음과 같은 제문을 썼다. 이는 과연 그가 어떤 인물이었는지 가장 극명하게 증언하는 글이기도 하다.

죽은 자는 유감이 없고, 산 자는 더욱 힘써야 하는 법. 공은 진실로 사람을 잃어버린 것이 아니었습니다. 소생은 또한 일찍이 밖에 나아가서는 공의 풍채를 보며 즐거워하였고, 안으로 들어와서는 공의 생각하는 바를 간직하였습니다. 말씀하시는 데는 사물의 이치를 갖추었고, 행동함에는 법도가 있었으니 선비로서 현자를 희구하는 분이었습니다. 사람을 대함에 공손함과 관대함이 있어, 어진 사람이거나 어리석은 사람이거나 환영하지 않음이 없었으니 사람과 잘 사귄 분이었습니다. 일에 임할 때는 민첩하면서도 중용을 지키셨고, 예술에서는 편벽됨이 없었습니다.

오호라, 공이 세상을 떠나니, 좋은 벗을 잃은 외로움이 앞서고, 들어보기 힘든 얘기를 들어볼 곳도 없게 되었으며, 그 당당한 풍모도 볼 수 없게 되었습니다. 재능은 있었으나 명이 짧음은 하늘의 뜻이거늘 어찌 공이 의

도한 바라 하겠습니까. 혹 이를 애석하게 여기는 자가 있다면 그는 공을 알지 못하는 사람입니다. 공은 그림 같은 한가한 일과 외도로 나간 재주에서도 스스로 묘妙함을 얻었지만 혹 이것만으로 공을 찬탄하는 것은 공에게 누를 끼치는 것입니다.

오호라, 세상에서 공이 장부丈夫라 하기에 조금도 부족함이 없는 분이었음을 아는 이가 몇이나 될꼬. 이것이 더욱 슬플 뿐입니다.

-《성호전집星湖全集》권57

비어져 나오는 슬픔과 절제된 슬픔이 돋보이는 제문이라고 할 수 있다. 소중한 사람의 죽음 앞에 쏟아지는 북받치는 설움이란 과연 이런 것이 아닐까.

아, 이제 끝났습니다.

눈물만 봇물처럼 흐를 뿐입니다.

# 눈물만 봇물처럼 흐를 뿐

송시열 | 종형 송준길宋浚吉의 죽음에 곡하며祭同春堂文

송시열은 8세에 친척인 송이창宋爾昌의 제자가 되어 그의 아들인 송준
길宋浚吉과 함께 공부하게 되면서, 훗날 양송兩宋으로 불리는 특별한 교분
을 맺게 되었다.

송준길은 송시열과 함께 율곡의 학풍을 이은 충실한 후계자로 '이이李
珥-김장생金長生-김집金集'으로 이어지는 기호학파의 주류를 형성했던 정
통 성리학자였다. 1차 예송 논쟁 당시 송시열, 김수항과 함께 서인논객으로
활동하였으며, 이때 서인 온건파를 이끌며 남인에 대한 강경 처벌에 반대
하는 입장에 섰다. 윤선도尹善道의 상소 이후 한때 윤선도 구명운동을 펴
기도 했다. 1665년(현종 년6) 원자의 보양輔養에 대한 건의를 하여 첫번째
원자보양관이 되었으나 2차 예송논쟁으로 사퇴하였다. 이후 김집, 송시열,
윤선거 등과 강독하고 토론하며 학문에 정진했다. 그후 모든 벼슬에서 물

러나 회덕 향리에 은거하다가 1672년 병으로 세상을 떠났다. 이에 암담한
세월을 함께 보낸 송시열은 학문적, 사상적 동지이자 재종형인 송준길의
부음을 듣고 손자 은석慇錫을 보내 대신 곡하게 하였다.

　이제 갑자기 나보다 먼저 가셨으니, 나는 다시 누구를 의탁해야 합니까.
아, 형의 성덕盛德은 나로서는 헤아릴 수가 없어서 비록 형용하고자 하나 어
찌 감히 만분의 일이나 따르겠습니까. 옛날 형의 병환이 위독할 적에 나는
깊은 산골에 있었는데, 위독하다는 소식을 듣고 달려가서 손잡고 탄식하며
"우스갯말로 소자邵子와 같이 할 수 있습니까"라고 묻자, 웃으며 대답하기를
"어떻게 할 수 있겠는가. 그런 역량이 없네"라고 하셨으니, 그 겸양의 덕에 더
욱 감탄하게 되었습니다.

　또 형은 내게 이르기를 "모름지기 평심平心으로 우리나라와 민족을 회복
시켜 권선하고 금악했으면 다행이겠다"라고 하였습니다. 그런데 이는 우리
나라의 형세가 중대하니, 어찌 내가 책임질 수 있겠습니까. 일찍이 들은 바로
는 나를 칭찬하며 높은 산처럼 우러른다고 하였는데 이 또한 어찌 제가 감
당할 수 있겠습니까. 단지 더욱 경황할 뿐입니다. 한 가닥 맑은 찬 마음氷心
이란 하서河西(김인후의 字)와 율곡을 칭한 것인데, 형께서 보지 못했다 하였으
나 형이 아니시면 누가 당하겠습니까.

　아, 날과 달이 흘러가매 장사지낼 날이 가까워지니, 친한 벗들이 와서 기
가 꺾이고 슬픈 마음이 더욱 깊습니다. 말을 지어서 제수를 권하는데 형께
서는 듣고 계십니까.

아, 이제 다 끝났습니다. 눈물만 봇물처럼 흐를 뿐입니다. 바라건대, 내격來
格하시어 나의 슬픈 마음을 살펴주십시오.

아, 애통합니다. 흠향하소서.

-《송자대전》권153

명나라 말 양명좌파陽明左派로 활동했던 이탁오李卓吾는 다음과 같은
말을 남겼다.

"스승이면서 친구가 될 수 없다면 진정한 스승이 아니고, 친구이면서 스
승이 될 수 없다면 그 또한 진정한 친구가 아니다."

송준길과 송시열은 이탁오의 말처럼 서로에게 스승이자 벗이었으며 정치
적 동반자였다. 송시열은 그보다 먼저 세상을 하직한 송준길을 위해 애절한
제문을 지었지만 그의 죽음은 더욱 애처롭다. 긴 유배생활을 마치고 제주에
서 서울로 올라가던 중 전라도 정읍에서 사사되고 말았기 때문이다.

죽음은 누구에게나 공평하다. 하지만 그 방법은 모두 다르다.

풀잎 위 이슬

너무 쉽게 마르네.

내일 아침 이슬은 또 내리겠지만

한 번 떠난 사람은 돌아올 줄 모르네.

# 그대는 사라지고 밤만 깊어가네

신 흠 | 이영홍李永興을 기리며 祭李永興文

이제신李濟臣은 조선 중기의 문신으로 상촌象村 신흠申欽과 이영홍李永興의 스승이다. 그는 1581년 강계부사가 되었으나 1584년 여진족 이탕개尼蕩介가 쳐들어와 경원부가 함락되자 패전의 책임을 지고 의주 인산진으로 유배되었다가 그곳에서 죽었다. 그리고 8년 후 이영홍은 과거에 급제하였으나 하절사로 북경에 다녀오던 중 병을 얻어 황해도 봉산에서 죽고 말았다. 한 스승 아래서 깊은 우정을 쌓았던 벗이 스승과 똑같이 객지에서 세상을 뜨고 말았으니, 신흠의 슬픔은 이루 다 말할 수 없었다.

청강공은 대체로 한 세대의 위인이었다. 재주가 있었으나 시대에 다 쓰이지 못했고, 덕이 있었으나 은택이 뭇사람에게 미치지 못했다. 그리하여 공이 작고했을 적에 사람들이 모두 애석히 여겼고, 담론하는 자들이 말하기를

"천도天道란 친한 이가 따로 없고 오직 선한 이를 돕는 것이므로 자신이 복록을 다 누리지 못했으면 반드시 그 자손이 누리게 되는 것이니, 청강공 같은 이는 후사가 좋을 것이다"라고 하였다.

나는 재주 없는 사람으로 일찍부터 청강공 문하에 의탁하여 가장 깊은 알아줌을 받았고, 인척관계에만 머물지 않았다. 그래서 공과는 날마다 함께 거처할 수 있었으니, 나를 알기로는 당연히 공만 한 이가 없거니와 공을 알기로는 나만한 사람이 없다.

공은 성품이 넓게 탁 트이고 활달하였으며, 의기가 있고 승낙을 신중하게 하였다. 때문에 잠깐 접해보아서는 기氣가 성한 사람 같아 친할 수 없을 것처럼 여겨지지만, 오랜 시간 접하여 이리저리 얘기를 해보면 진정한 속마음을 숨김없이 다 털어놓음을 볼 수 있다.

공은 남의 위급한 처지를 들으면 반드시 먼저 가서 구해주되, 개연히 존망과 사생을 같이할 의협심이 있었고, 권력의 경중에 의해 절개를 변치 않았다. 그러므로 공을 아는 자는 공의 의義를 끝없이 칭송하고, 공을 알지 못한 자도 공의 명예와 행실을 칭송하면서 자신이 따를 수 없다고 여겼다.

청강공이 본디 재산을 모아 자손들에게 물려주려고 하지 않았는데, 공이 그 미덕을 능히 이었다. 이에 벼슬을 그만둘 때마다 남에게서 양식을 꾸어다가 밥을 짓곤 하였다. 그리하여 공이 작고하자 모두들 "선인善人이 죽었다"라고 하였고, 공의 친구들은 통곡하며 눈물을 줄줄 흘리면서 슬픔을 감당치 못했으며, 공의 집에 조문 온 사람들의 발길이 한 달이 지나서야 겨우 그쳤다. 마음이 지성스러운 사람이 아니면 어찌 이와 같이 사람을 감동 분발시

킬 수 있겠는가.

지난해 여름 나는 서관西關으로부터 들어왔고, 공은 영북嶺北으로부터
돌아왔는데, 그 때 내가 공이 매우 쇠약해졌음을 의아하게 여기긴 했으나,
공이 끝내 죽으리라고는 생각하지 못했었다. 공은 이미 성품이 강직하여 뜻
을 얻지 못한데다가 세속을 따라 행동하기를 더욱 싫어해서, 매양 나와 함께
시골구석에 물러나 살 것을 생각했었는데, 나를 버리고 먼저 작고할 줄을
누가 생각이나 했겠는가.

아, 슬프다. 공은 세 번 장가를 들어 3남 1녀 두었는데, 장자는 자식도 없
이 요절하였고, 그 다음은 10세, 또 그 다음은 아직 8세에 불과하다. 1녀는
공이 북경에 간 뒤에 낳았으므로, 공이 미처 보지 못했다. 서출庶出 4명은 모
두 요절하였다.

아, 슬프다. 다음과 같이 초혼사招魂辭를 지어 공의 혼령을 부르노라.


오늘 저녁이 어떤 저녁인고
집은 텅 비고 뜰을 적막하여라
지금 가면 어디로 가는고
묵은 풀 더부룩한 황량한 언덕이네
혼이여 돌아오소서.


흰 휘장에 붉은 명정이며
잣나무 상여에 삼나무 널이로다

땅강아지 개미는 속으로 구멍을 뚫고
여우 너구리는 곁에서 뜯어 먹으리라
혼이여 돌아오소서.


철쭉꽃은 한창 피고
정향꽃은 시들어가네
사물은 돌고 도는데
그대는 사라지고 밤만 깊어가네
혼이여 돌아오소서.


초주며 계주랑 드리오니
어슴푸레 자식은 부르짖어 우는데
점점 가까이 오지 않고 더욱 멀어지네.
혼이여 돌아오소서.


영원토록 폐절廢絶됨이여
아득히 어두워라, 애가 더욱 끊기려네
풀잎의 이슬 같은 목숨 몇 년이나 되던고
그대 생각 잊을 수 있으랴
혼이여 돌아오소서.

- 《상촌집》 권30

신흠은 《상촌집》에 실린 〈기재기奇齋記〉에서 중국 하왕조의 시조 대우大禹의 말을 빌려 "산다는 것은 붙어 있는 것이고, 죽음이란 돌아가는 것이다"라고 하였다. 그러나 그럼에도 불구하고 벗이 죽자 "혼이여 돌아오소서"라며 소리쳐 부르길 멈추지 않았다. 이것만 보아도 그 슬픔을 능히 짐작하고도 남는다.

　한나라 제왕 전횡田橫의 문인은 악부시 〈해로薤露〉에서 풀잎 위 이슬만도 못한 인생을 다음과 같이 노래한 바 있다.

　　풀잎 위 이슬
　　너무 쉽게 마르네.
　　내일 아침 이슬은 또 내리겠지만
　　한번 떠난 사람은 돌아올 줄 모르네.

그 당시 작별이 또 다시 못 만날 작별이 될 줄을 누가 알았겠습니까.

모든 것들이 다 슬픔을 머금었습니다.

# 목이 메어 곡소리조차 내기 어렵고

정 구 | 김우옹金宇顒의 장사를 지내며 祭金東岡文

한강寒岡 정구鄭逑와 동강東岡 김우옹金宇顒의 친분은 남달랐다. 두 사람은 영남학파의 두 거두인 남명南冥 조식曺植과 퇴계退溪 이황李滉의 문하에서 함께 학문을 배웠는데, 김우옹이 일찍부터 벼슬에 나간 반면, 정구는 과거를 포기하고 학문에만 전념하였다.

다음은 김우옹이 죽은 후 그의 널이 고향에 도착하자 정구가 그의 죽음을 애통해하며 쓴 글이다.

객지에서 별세한 동강공의 널(관)이 멀리 청주淸州로부터 고향으로 돌아올 때 닭이며 술 등 제물로 길가에서 영접하며 고합니다.

아, 애통합니다. 공은 서원西原(청주의 옛 이름)에 우거寓居하고, 나는 목천木川에 머무를 적에 각기 병 때문에 만나보고 싶어도 만나지 못하다가 9월 그믐께 내가 선조를 그리는 감회가 간절한 나머지 선영先塋을 둘러보기 위해 고향에 가는 길에 공을 찾아뵈었습니다. 그때 하룻밤을 묵으면서 "내년에는 우리 함께 고향으로 돌아가자"는 약속도 하고, 국화와 동산의 풍경을 감상한 뒤 나란히 새로 지은 누각에 오르기도 하면서 한가로이 담소를 나누노라니 마치 10년 전 고향에서 어울리던 그 즐거움이 되살아난 듯했습니다.

그때 보니, 공은 몸이 야위고 숨결이 가쁘긴 하였으나 정신이 편안하고 얼굴도 맑았으며 지나간 옛일을 마치 어제의 일처럼 낱낱이 말씀하시므로 내심 탄복하며 차마 정신이 어두워 공을 따라갈 수 없는 제 자신이 부끄러웠는데, 그 당시 작별이 또 다시 못 만날 작별이 될 줄을 누가 알았겠습니까.

나는 고향에 돌아온 뒤 병 때문에 즉시 되돌아가지 못하고, 그대로 머물러 겨울을 넘길 생각을 했습니다. 이에 인편을 통해 공에게 편지를 보내, 새해가 되면 일찍 돌아와 지난날 함께 즐기던 생활을 다시 이어보자고 하였습니다. 그런데 어찌 그 편지가 공에게 도달하기도 전에 부음訃音이 먼저 이르고, 흰 수레에 붉은 깃발을 펄럭이며 당도하여 나로 하여금 흰 상복 차림으로 이곳에 나와 맞이하며 슬픔을 가눌 수 없게 한다는 말입니까. 시야가 참담하고, 마음이 슬픈 나머지 목이 메어서 곡소리를 내기조차 어렵습니다.

아, 이제 이승에서는 더 이상 그 금옥처럼 단단하고 맑은 기풍을 접할 수 없게 되었습니다. 고을 부로父老들이 다 모여들고 산천도 서글퍼하는 가운데 싸늘한 하늘이며 아침햇살 등 눈에 비치는 모든 것들이 다 슬픔을 머금었습니다. 더 이상 무엇을 말하겠습니까.

아, 슬픕니다.

－《한강집寒岡集》권12


수레에 붉은 깃발을 펄럭이며 오는 상여를 바라보노라니 시야가 참담하지 못해 마음이 슬퍼 소리 내어 곡소리조차 낼 수 없다니. 어찌 그 슬픔을 말로 다할 수 있겠는가.

그대의 죽음을 애절하게 곡哭함으로부터는

외롭고 외로워서 다시는 인간사에 뜻이 없으니,

한 마리 외로운 새가 그림자와 서로 위로하는 것 같고,

# 다시는 인간사에 뜻이 없으니

정 철 | 율곡栗谷 이이李珥의 죽음을 슬퍼하며祭栗谷文

　　송강 정철과 율곡 이이는 동갑내기로 학문적 교류는 물론 사적으로도 깊은 우정을 나눈 사이였다. 그러나 동인을 꺾고자 했던 송강과 달리 율곡은 동서 양당의 화합을 바랐다. 결국 송강은 율곡이 자신의 요청과 권유를 듣지 않자 조정을 떠나 성산星山으로 가면서 다음과 같은 시 한 편을 남긴다.

　　그대의 뜻은 산과 같아서 움직이지 않고
　　내 마음은 물과 같아서 돌아오기 어렵네
　　물 같고 산 같음이 모두 운명이로다
　　서풍에 머리 돌리며 홀로 배회하네.

　　　　　　　　　　　　　　　　－《송강집》

그로부터 얼마 후 율곡의 갑작스런 부고가 전해진다. 이에 송강은 그간의 서먹함은 잊은 채 둘도 없는 벗의 죽음을 슬퍼하며 다음과 같은 제문을 짓는다.

슬프다, 우리 숙헌(叔獻, 이이의 자)이여. 그대는 나와 같은 나이로 오직 월일에 선후가 있을 뿐이었다. 1556년(명종 11년) 경로(정대년의 字)를 통해 공을 알게 되었는데, 그때 그대는 금강산에서 처음 서울로 왔던 것이었다.

맑은 물에 부용芙蓉 같은 그 높은 재주와 성한 이름은 한 세상에 으뜸으로 다시는 없을 것 같았다. 나는 젊고 또 어리석어서, 다만 이르기를 그대는 문인 중의 제일인자라고 하였다. 그러나 교유한지 이미 오래이고 나 역시 사리를 판단할 줄 알게 되면서부터 비로소 그대가 이미 공公된 것임을 알았다.

어찌 문장뿐이랴. 학문의 순수하고 정대함은 대개 천품이 도道에 가까워서 노력을 하지 않고 얻은 것이다. 만년에 다시 연마하고 사색하여, 세월이 쌓인 연후 학문이 더욱 진취하고 식견이 더욱 맑아서 마치 높고 크나큰 배가 하나의 돛으로 천리를 항해함과 같아 선배로도 미치지 못할 바가 있었다.

아, 어찌 쉽사리 속세의 사람과 더불어 논할 수 있으랴. 희로喜怒가 없고 죽고 사는 것에 태연하며, 얻고 잃은 것이나 영화롭고 욕됨을 다 잊어버려, 외물外物로 마음에 두지 않음과 같은 것은 곧 천성으로 그러하였던 것이다. 그리고 소통하고 민활하여 일에 부딪히면 막힘이 없는 사람이 그대가 아니었던가. 임금을 부모와 같이 사랑하고, 나라를 집과 같이 걱정하여, 강호에서나 낭묘廊廟에서나 나라를 사랑하고 백성을 사랑하는 그 마음을 달리하지 않은 이도 바로 그대가 아니었던가. 또 충忠과 신信으로 사람을 대하고, 사물과 접하되 서로 더불어 다투는 일도 없으니, 사람들이 다 군자라 부른 것은 그대의 덕德이요, 넓고 큰 도량으로 비록 용납을 못할 것이 없었으나 악한 사람을 대하여는 사색辭色에도 용서가 없었음은 그대의 개결이었다.

– 《송강집》 속집 권2

송강은 1575년 조정의 동서로 나뉘었을 때도 가능한 한 양당을 융합시키려고 끊임없이 노력하였던 율곡을 회상하며 그가 동인들에게 배척당했던 것을 이야기한다. 그때 동인들은 율곡을 두고 공론이 아니라 사욕에 따라 움직이는 소인배라고 비난했다. 오죽했으면 율곡 스스로가 "정말 공평한 눈을 가진 사람이 있어서 오랫동안 내가 하는 일을 지켜보면 내 마음을 알 수 있을 것이다"라고까지 개탄했을까.

아, 하늘이 우리나라를 복되게 하지 않으려 하시는 것인가. 정력을 다하고 마음을 괴롭히어 조금도 힘을 남기지 않고, 나랏일에 죽으려 함은 옛날에도 비할 만한 사람이 없다. 돌아가신 날 시중 사람들이 달려와 슬프게 부르짖는 사람들 이 모두가 그대의 얼굴도 알지 못하는 사람들이었으니, 어찌 그런 지경에까지 이르렀을까. 그대를 사랑하는 이가 많은 한편 그대를 미워하는 이도 있고, 그대의 죽음을 슬퍼하는 사람이 있는 동시에 그대의 죽음을 슬퍼하지 않는 사람도 있으나, 그것이 그대에게 무슨 손상이 있으리오. 나같이 못생긴 사람으로서 무엇이 이렇다 할 만한 것이 있으랴마는 그대가 홀로 나를 너그럽게 대해준 것이 지금 이미 30년이며, 또 전협狷狹으로 나와 절교를 할 만한 때가 한두 번이 아니었는데도, 마침내 옛날에 맺은 의리를 버리지 않고 끝까지 친절하게 같이 옳은 길로 돌아오도록 하였으니, 그대를 두고 어찌 진실로 어진 사람이라 하지 않겠는가.

아, 나라 일을 꾀하고, 인재를 선발하며 용렬한 나 같은 사람도 함께 들어 쓰려하니, 이것은 내가 유능한 사람이라고 해서가 아니라, 원컨대 배워서 조금이라도 함께 시국의 어려움을 건져보려는 것이었다. 그런데 그대는 세도에 뜻이 없는 양 문득 나를 버리고 돌아감은 그 무슨 일인가. 호원浩原의 학문과 재식으로도 오히려 공이 없어 나 혼자만으로는 능히 운영을 못하거든, 하물며 나같이 아무것도 모르는 공공空空으로 장차 어떻게 나랏일에 만분의 일이라도 도움이 될 수 있으리오.

아, 시국을 걱정하는 그대의 한결같은 마음은 죽음에 이르기까지 쇠하지 않아, 임종 때에도 내 손을 잡고 부탁한 것이 나랏일 걱정 아닌 것이 없었다. 죽어서도 역시 단결된 이 기운이 흩어지지 않아 상서로운 구름과 단비가 되어 풍년이 들어 우리 백성으로 하여금 배가 부르게 하려는가. 모진 바람과 빠른 우뢰로 변하여 괴상망측한 도깨비와 같은 소인들을 멀리 쫓아버리려는가. 또 기린麒麟과 봉황鳳凰이 되어, 여러 좋은 일이 아울러 이르고 만 가지 복이 모이게 하려는가. 아니면, 태산과 교악喬嶽이 되어 성스러운 우리 신도神都를 지켜 국조國祚가 천백 년을 뻗치게 하려는가. 그대는 이상의 네 가지에 반드시 말없이 묵묵히 도울 것이요. 결코 용렬한 사람과 같이 그 혼과 기운이 살아서는 꿈틀거리고 죽으면 바람과 연기처럼 날려 흩어지지는 않으리라.

아, 내가 그대의 죽음을 애절하게 곡哭함으로부터는 외롭고 외로워서 다시는 인간사에 뜻이 없으니, 한 마리 외로운 새가 그림자와 서로 위로하는 것 같고, 줄이 없는 거문고 젓대와 같아서, 비록 거문고를 타고 젓대를 불고 싶으나 어찌할 수 없으니, 나도 역시 모든 것이 이에 그친 듯도다.

아, 친구란 천륜으로 합한 혈기도 아닌데, 어찌하여 이토록 슬프단 말인가. 서호西湖에 물은 밀려왔다가 다시 나갔다가 하고 동산東山에 달도 다시 오르리라. 봉래蓬萊에 오색의 빛도 역시 어제 같도다.

슬프다! 우리 숙헌은 어느 때나 다시 돌아오시려는가. 말이 다하고 제사를 끝내고, 한 번 큰 소리로 길게 외쳐봅니다. 상향.

― 《송강집》 속집 권2


송강은 율곡의 제문을 쓰며 "그대의 죽음 앞에 애절하게 통곡하고는 외롭고 외로워서 다시는 인간사에 뜻이 없다"고 하였다. 하지만 사람의 한평생이 어디 그런가. 아무리 늙고 쇠하였어도 더 살고 싶은 것이 사람의 마음이고, 벼슬에 뜻이 없다면서 물러나더라도 다시 올라가고 싶은 것이 세상의 이치이자 사람의 본심이다.

송강은 조정에서 물러나 있으면서도 선조를 향한 사모의 마음을 가득 담은 글을 수도 없이 올렸으며, 다시 정계에 복귀해서는 '조자룡 헌 칼' 쓰듯 권력을 마음껏 휘둘러가며 수많은 사람들로부터 지탄의 대상이 되고 말았다.

한편 율곡의 제사를 마친 송강은 평생을 같이했던 친구이자 정치적 동반자였던 우계牛溪 성혼成渾에게 편지를 한 장 보낸다.

삼경三更에 일어나 율곡의 영구靈柩를 호송하며 홍제원弘濟院에 이르러 곡을 하고 보내는데, 온몸이 춥고 떨려 수레에서 내려 술 석 잔을 마시고 집에 돌아오니, 더욱 심하여 거의 기진할 것 같았습니다. 이제야 비로소 머리를 들고 일어나서 밥을 서너 숟가락 먹고 나니, 이제는 형兄을 만나 이야기라도 하고 싶은 생각이 간절합니다. 하지만 종奴과 말馬이 없으니 어찌하지 못하고 종일 베개에 엎드려 있으니 마디마디 창자가 끊어질 것 같습니다.

– 《송강집》 속집 권2

인연이란 어기기를 좋아하는 모양이다.

아, 나는 내 마음을 어떻게 진정해야 할지 모르겠다.

# 착한 자는 속환된다면 내 가서 그대를 불러오겠네

김일손 | 조원趙瑗의 죽음을 슬퍼하며 趙伯玉哀辭

무오사화戊吾士禍(연산군 4년 김일손 등의 신진사류가 유자광 등의 훈구파에게 화를 입은 사건)로 인해 큰 화를 입은 김일손은 문장으로 그 이름을 크게 떨쳤다. 그는 승지를 지낸 선배 조원趙瑗이 죽자 〈조백옥趙伯玉 애사〉를 지어 "백옥(조원의 字)이 세상을 떠났으니, 어떻게 내 마음을 진정해야 하느냐"며 크게 슬퍼하였다.

백옥이 세상을 떠났으니, 어떻게 마음을 진정해야 하느냐. 백옥은 내게 선배가 되며 나이가 나보다 수십 년이 많다. 당초에는 단 한 번의 지면도 없었는데, 신해년 여름 함께 강목綱目을 교정하게 되어 반 년 동안 동거하면서 비로소 망년忘年을 맺었으니, 사귐은 얕은 것 같지만 연분은 더욱 깊었다. 이때 나는 용양위龍驤衛 사정司正으로 있었고, 백옥은 봉상시奉常寺 첨

정儉正으로 있었으니, 대개 현도玄都의 탄식이 있어 나는 백옥을 위해 탄식했고, 백옥 역시 매양 나를 위해 탄식했었다.

　백옥은 문학과 정치에 있어 두 가지가 다 능하고, 의기와 도량은 넓고 씩씩하여 어디에 기도 못할 것이 없고 또한 흔들리지도 아니하니 참으로 세상을 요리할만한 큰 인재였다. 나중에 집의執義가 되었으니, 다른 사람에게 비한다면 달達했다고 보겠지만, 백옥에게 있어서는 그렇지 못하다.

　그 후 백옥은 청송靑松으로부터 그 부친의 관棺을 받들고 배로 향하여 서쪽으로 내려가는데, 나는 배 하나를 띄워 중류中流로 나아가 조문하려고 했으나, 보고하는 서리가 착실하지 못하여 배가 멀리 떠난 다음에야 비로소 알게 되었으니, 인연이란 어기기를 좋아하는 모양이다. 또한 소장 편지 한 장을 지어 올려 위문하지도 못했고, 시간을 내어 한 번 상려喪廬에 나아가 문상하려 하면서도 그것마저 못했으니, 백옥이 지금 상중이라 딴 생각을 할 겨를이 없을 것이다. 만약 생각이 난다면 반드시 나를 괴이하게 여겼을 것이다. "백옥이 상중喪中에 있어 예에 극진하다"는 말을 들을 적마다 마음속으로 정중히 여겼는데, 얼마 되지 않아서 사람이 나에게 전하기를 "흰옷을 입은 여종이 백옥의 집문 밖에서 매우 슬피 우는 것을 보고 사람을 시켜 물은즉 백옥이 죽었다 한다"고 하였다.

　아, 나는 내 마음을 어떻게 진정해야 할지 모르겠다.

　아, 작년에는 희인希仁이 애훼哀毀로 인해 죽었고, 금년에는 백옥이 애척哀戚으로 인해 죽었으니, 하늘이 장차 어떻게 해서 남의 자식 된 자에 거상을 잘 할 것을 권할 수 있게 될지 모르겠다. 이는 친구들의 불행만이 아니라 바로 국가의 불행이기도 하다.

백옥도 아들도 없으므로 애사를 지어 내 설움을 억제하는 바이다.


학문도 크게 시행되지 못했고

재주도 크게 채용되지 못했으니

문망한 사대에 중 할 뿐이오

이름을 천추에 남기지 못했네

나를 뉘가 허물하리

오직 조물주의 죄로세

조물주는 승복하지 않고

저 진재眞宰에게 미루네

저 진재여

사람을 죽이고 후회하지 않네

선과 악을 같이 벌준다면

권장과 징계가 어디 있나

착한 자는 속환贖還된다면

나는 가서 그대를 불러오겠네

아, 백옥이여

영원히 공채가 묻혔구려

스스로 도독荼毒에 걸린 것은

풍수風樹가 기다리지 않기 때문이라네

백도에겐 아들도 없으니

진재의 허물이 더욱더 하외다.

-《속동문선》권11

만물을 주재하기 때문에 하늘을 진재眞宰라고 한다. 그래서 김일손은
하늘이 백옥을 데려갔다고 원망하면서 착한 사람은 값을 치르고 데려올
수 있다면 가서 불러오겠노라고 말하고 있다. 하지만 그 말이 맞는 사람은
정작 김일손 그 자신이었는지도 모른다. 그 역시 서른셋이라는 젊은 나이
에 죽고 말았기 때문이다.

김일손이 지은 제문의 한 구절처럼 '인연이란 어기기를 좋아하는 법'이
다. 그래서 인연이 끝난 뒤에야 내가 그 사람을 얼마나 사랑했는지, 그 사랑
이 얼마나 깊었는지 깨닫곤 한다.

원문

# 네 얼굴이 잊히지 않아 눈물이 마르지 않는구나

農兒壙志

**정약용** | **《여유당전서》** | **번역문** | **013페이지**

農兒孕於谷山. 生於己未十二月初二日. 死於壬戌十一月三十日. 疹而痘. 痘而癰
也. 余在康津謫中. 爲文寄其兄. 令哭而諭之於其所瘞. 哭農兒文曰. 汝之入世而出
世也. 纔三朞已. 而與我別居其二. 人有六十年生世. 而四十年與父別者. 其可哀也
已. 汝之生也. 吾憂深. 名汝曰農. 旣已家汲焉. 使汝活農而已. 然賢於死. 使吾死. 將
欣然踰黃嶺而濟洌水. 是吾死賢於活. 吾死賢於活而活. 汝活賢於死而死. 非吾之
所能爲也. 使我在. 汝未必活. 而汝母之書曰汝云父歸我則疹. 父歸我則痘. 汝非能
有所揆度而爲斯言. 然汝以我歸爲可依也. 汝願不遂. 其可悲也. 辛酉之冬. 果川之
店. 汝母抱汝而送我. 汝母指我曰彼爾父. 汝從而指我曰彼吾父. 而父之爲父. 汝實
未知. 其可哀已. 鄰人之去. 寄釿螺二枚. 令遺汝. 汝母之書曰汝每康津人至. 索釿螺
不得. 意甚沮. 及其死而釿螺至. 其可悲也. 汝貌秀削. 鼻之左有小黑子. 其笑也雙牙
尖. 嗟乎. 吾唯思汝貌. 不妄以報汝.

茯老常云子女之夭折者. 宜備書其生年月日名字面貌及死之年日. 俾有徵於後.
使其生有跡. 其言甚仁. 吾始庚子秋. 於醴泉郡舍墮一胎. 而辛丑七月. 妻因子瘧. 徑
產一女. 八朔而生. 四日而夭. 未有名. 埋之瓦署之阪. 其次生武牂文牂. 幸而成. 其次
曰懼牂. 其次曰女子孝順. 以順產爲孝也. 懼與順. 竝有壙銘. 非眞銘也. 志于冊也.
其次得一女. 今十齡. 已經二疹. 庶乎免夫. 其次曰三同. 死於谷山. 以痘折. 時妻有
身. 因悲生子. 旣旬而又痘. 未數日而夭. 其次卽農牂也. 三也生於丙辰十一月. 死於

戊午九月. 其次未有名. 懼與順. 埋之斗尺之岡. 三與其次. 埋之斗尺之麓. 襛亦必麓矣. 凡產六男三女. 生者二男一女. 死者四男二女. 死倍於生也. 嗚呼. 吾獲戾于天. 殘酷如此. 爲之奈何.


# 아비와 딸의 지극한 정이 여기서 그친단 말이냐
祭亡女文

**신대우 |《완구유집》권10 | 번역문 | 021페이지**


歲己酉四月丁未. 葬汝季女鄭氏婦果川其舅家兆次. 先七日辛丑. 其父因望奠. 略備時食. 致告以文曰. 伊年月日. 云汝大歸. 是歸也何歸也. 烏呼哀哉. 汝素精剛不病. 前年四月忽有似胎之證. 可喜非可虞也. 人則皆然. 汝獨自謂病也. 請以醫治者屢矣. 責其妄. 至發於聲色而猶請之弗止. 胎是常候. 不知汝何故知非胎而必丐其治邪.

至于八月. 證猶前而疑於非胎者. 試使醫者診. 醫者曰未可詳. 且觀三數月. 汝云醫者妄耳. 不知汝之必知爲妄者何故. 及至三數月. 朗知其非胎. 而疾則根已盤帶已固矣. 攻劑則似效. 溫劑則似效. 或鍼或炳. 其路摭埴而不可爲矣. 烏呼哀哉. 汝疾汝則自知. 而其夫不知. 其父不知. 其兄弟不知. 知之又復一委庸醫. 以聽汝死生.

烏呼哀哉. 命邪非邪. 若此古人謂不慈. 吾復何言. 維歲之首. 將余南下. 不忍汝悽然惜別. 旣出還入. 更覲汝面. 而拊汝背而去. 以吾念汝之偏. 非意其至於死然也. 及

旣南下. 無一日汝不在我夢何故也. 逮于今寧欲汝以夢發余而不能得. 又何故也. 自汝之病. 攜汝來余. 今余效來. 汝之歸舅家兩日矣. 聞其必欲歸. 而歸也必欲歸者. 又何故也. 方吾就省. 已不自起. 但見其欣幸之極. 淚先言發. 握汝手撫余腕. 項腮相摩. 語余曰行次無恙乎. 顔須猶夫昔矣. 女則何如. 請抱而抱引佘手. 按摩其背. 忽似稣少之嬌變. 又何故也. 吾未見疾病之至於是. 而能得其生者. 然情所鍾蔽. 心目易變. 且謂汝非年夭弱而稼喪者. 出而語汝夫兄. 尙議圭撮之方. 而汝之皐復遽屆是日之亭午矣.

　烏呼哀哉. 命邪非邪. 汝無過於人之行. 吾亦乏素敎之術. 且吾未嘗對子弟詡其長. 今日之事. 如汝生而與汝言也. 我但設吾之疑擬. 汝解之而已. 若情之至者. 所非文墓. 語之感者. 如恐汝疚. 又汝事行一二可書. 終必抖擻點綴. 藏汝壙之南. 烏呼. 二十年爲父爲女之情. 乃爾止玆也邪. 哀哉哀哉尙宣.


# 흰머리 외롭고 의지할 곳 없게 되었으니
祭亡兒在竣文

**임윤지당 | 《윤지당고》 | 번역문 | 025페이지**


　汝棄我而安往. 匝一歲而不返乎. 余年過四十. 始以汝爲子. 然自始生之初. 卽抱汝育汝. 汝未嘗不以余爲親生. 我亦未嘗不以汝爲所生. 汝自免乳. 卽食於我而宿於我. 玩戱之具. 皆藏置於我所. 游居之所. 亦必於我室. 余以未亡之身. 恃汝爲生. 及汝長而有室. 有子有女. 慰悅吾心眼. 而汝又以誠孝事我. 平居每事. 先意承奉.

余又以此慰心. 庶幾未死之前. 見汝學益成就. 氣益充實. 而男女詵詵次第長成. 以昌大爾門戶. 日夜祝願. 寔在於此. 此非踰涯過分之事. 而汝乃一朝隕沒. 所願皆瓦解. 白首煢獨. 無所依倚. 此何事也. 甚矣吾之頑也. 以余平昔愛重汝之心. 喪汝而宜無頃刻支存之理. 而今余失汝. 而孑然獨於世者如此之久. 而頑然冥然. 飢而食. 困而眠. 無異於人. 豈以血氣衰鑠. 神精耗竭. 不能眞知悲哀而然歟. 抑爲莫可奈何則付之於天. 唯其命之自盡而然歟. 痛矣痛矣. 以汝仁孝之性. 愷悌之行. 文識之踈通. 志操之端潔. 奚辜于天. 是必頑命宜死苟生. 獲怒于上下神祇. 奪汝之速而益余之窮也. 諺云. 歲月爲藥. 而今我之痛酷. 愈往愈甚. 此須無此生. 乃無此悲已矣.

　嗚呼痛哉. 此何人斯. 人生眞如白駒之隙. 而矧今我老病濱死之中. 又於昨春喪吾仲氏. 冬又喪仲氏之小子. 至情之痛. 一猶難忍. 況於三乎. 內銷外鑠. 日益淹淹. 則吾雖至頑. 旣非木石. 安能久哉. 然而一日如三秋. 但願速歸. 與爾團會於地下. 以續此世母子未盡之緣而已也. 嗚呼. 三年已迫. 汝之筵几. 亦將撤而廟矣. 從今以往. 雖欲一哭汝. 少洩胷中之痛. 先王制禮有限. 又何可得乎.

　嗚呼. 余見爾平日所嗜之物. 則因饋奠而必以餉汝. 意若汝生存者然. 從今以往. 此又不可得矣. 悲哉哀哉. 吾將寓心於何處而遣餘日哉. 余欲趁此未撤之前. 朝夕來哭. 以小解此痛寃之心. 而眼暗滋甚. 幾乎盲廢. 故恐或至於喪明. 得罪聖訓. 而且異日泉臺. 不識爾顔是懼. 不得如意. 此又尤可悲也. 痛矣痛矣. 吾今不可得以見汝之儀容. 尙幸夢魂. 與爾相交. 猶可爲慰於心. 其情亦慽矣. 汝能頻頻現夢. 以小紓老母悲寃之萬一耶. 嗚呼痛哉. 尙饗.

# 바람은 요란하게 문풍지를 흔드는데

哭鳳惠文

이하곤 | 《두타초》 권2 | 번역문 | 031페이지

維維歲次丙戌二月上巳日. 卽亡女鳳惠旣葬之一日也. 其父略具餠餌肴果之羞. 以文哭于其墓曰.

嗚呼. 余年過二十而未有兒息. 汝母亦且羸弱善病. 恒惝惝惟嗣續是虞. 庚辰春. 汝始生. 汝母娠汝時. 夢五色鳥長鳴而去. 大人遂以鳳名汝. 汝生而容貌豊麗. 神秀氣完. 余喜甚. 亦不知生女之可恨也. 汝之外曾大父月堂公抵書于余曰君冀男而得女. 何喜若是耶. 余仍擧陶柴桑弱女雖非男. 慰情良勝無之語以復之. 又二年壬午. 汝弟鳳錫生. 其冬汝母携往懷川省親. 癸未春. 始團會于金溪之丙舍. 鳳錫已扶床立. 意氣嶷然. 汝之言語容止. 益復婉孌可愛. 父母朝夕弄玩. 若雙珠之在前. … (중략) … 明年甲申. 大人留守江都. 吾與汝輩皆從往. 秋鳳錫猝患風撮死. 父母之慘慟哀憐. 固不可言. 而汝尤悼念. 每曰嗟乎鳳錫. 尒何捐父母之愛而死乎. 爾何獨無怖而棄擲空山乎. 其言凄切有不忍聞者. 而汝又悶父母之過哀. 以好言寬慰. 又爲雜戲蘄得父母之一笑. 父母之心雖不忍於逝者. 猶以汝在前. 盡誠盡孝. 故庶得少慰其悲慟之思. 孰謂一朝汝又棄父母而長逝也哉. 噫嘻. 向汝之所以怨鳳錫者. 吾將以怨汝矣. 向汝之所以悲鳳錫者. 吾又以悲汝矣. 汝其知耶. 其不知耶 … (중략) …

嗚呼慟矣. 嗚呼慟矣. 汝雖女子. 吾所以期待汝者深. 汝亦平日旺建無病. 至於夭亡之患短折之虞. 是豈夢寐之所及者哉. 余性迂僻. 不樂京居. 乙酉冬將盡室攺溪上之舊栖. 是歲都下痘疾大行. 意謂汝未經痘. 遠避鄕曲. 亦甚便宜. 遂挈汝登途.

至竹山迦葉里. 其日大風以寒. 汝從軒車中出. 面色如凍梨. 瑟縮不能語者良久. 汝母急以酒溫汝. 爐火煖汝. 汝始稍有人色且言. 明日之晨. 汝急患肚疼而嘔. 謂觸風寒. 致此無恠. 又不可久滯中途. 遂行午飯植松村. 汝又吐蚘. 又能飯. 見汝神精已奪. 五色無主. 余惶懼趣駕. 行抵雲亭. 夜已數皷矣. 雜試藥物不效. 二宿而痘點見. 邀柳醫瑞診之. 曰血從溺道中下. 雖兪扁無可爲也. 汝果八日而不起. 乃十月之晦也. 汝自朝至昏. 泄數十下. 腹大如皷. 喘聲作急以促如拽鉅. 余抱汝足而坐. 汝母又坐余側. 時燈火熒然. 風聲獵獵吹窓紙. 夫婦二人. 但以涕淚相視而已. 汝忽開眼視余作數聲. 哽咽而止. 若與父母訣者. 當此之際. 汝父母方寸將如何哉.

嗚呼慟矣. 嗚呼慟矣. 汝病亟時. 神識已眛. 無所省記. 似譫似囈之中. 忽語余曰此爹之過也. 此爹之過也. 意若警余者. 噫嘻. 昔韓文公云人生不免於水火. 父母之罪也. 由是言之. 使汝病而且死者. 是誰之罪也. 汝不從余而南則何至撼頓而生疾乎. 假令汝縱有一時疾恙. 若處乎安安. 殫其調治. 又何遽至死乎. 今乃不然. 旣去其深房燠室平簞煖衾. 而驅曳顚仆於嚴風虐雪之中. 荒山窮溪之間. 而又不能及時而問醫. 對症而投藥. 終使汝不免乎中途而夭死. 此余之罪也. 此余之罪也. 豈不爲余終身之恨也哉.

嗚呼慟矣. 嗚呼慟矣. 以余之容貌觀之. 豐而麗. 以汝之神氣觀之. 秀以完. 以言其稟受則敏慧. 以言其德性則孝友. 玆數者豈皆可以致夭. 而汝其終夭者何也. 汝病之初. 余甚以爲憂. 汝之從叔輩皆曰此兒之骨相稟性. 宜享多福者. 君何爲過憂. 以寬余. 以今觀之. 夫無福者莫過於汝. 而人又稱之宜享多福者. 抑何也.

嗚呼. 汝豈無福而早夭者哉. 汝死之日. 汝之從叔輩又皆曰凡人之生死夭壽. 不可以容貌測也. 不可以神氣度也. 又不可以性行推也. 此兒死矣. 世間其有可恃之

兒乎.以慰余.由此論之.汝豈無福而早夭者哉.此由汝父實蘗而謬有名稱.行悖而獲罪神明.不能保其懷抱之物.而將使之摧心刺骨窮毒慘盡而終其身也焉耳.汝實代父而死.寧不冤乎.寧不冤乎.

嗚呼慟矣.嗚呼慟矣.吾自汝之逝.塊處一室.終日面壁.昏昏悶悶.如癡如醉.坐不知其所爲.行不知其所之.或臨卷而嘆.或對飯而吁.或對影而語.見山則思汝.觀水則思汝.聽平臺之松風則思汝.看小舟之明月則思汝.盖無時而不思.無往而不思.而汝之蹤跡已化而爲冷烟爲飛灰.尋之無見.求之無得.噫噫吾與汝.不過爲六歲之父子.而又不知何時可相從於地下.然則自今至吾之死.無非思汝而悲汝之日也.

嗚呼慟矣.嗚呼慟矣.汝之始死.以俗忌不能葬.今年寒食日.易汝棺衾.深藏于先夫人之墓傍.而所謂麟錫者又後汝數日而死.汝將左鳳而右麟.從吾先夫人於地下.知汝之魂魄.庶不孤矣.

嗚呼.春風一被.百物回生.唯汝魂魄.往而無故.悠悠此慟.曷其有極.情之所激.言無倫次.而皆出汝父之肝膈.汝其有知.庶有聞於冥冥中矣.

嗚呼慟矣.嗚呼慟矣.


# 눈물은 수저에 흘러내리고
悼尾兒

**윤선도 | 《고산유고》 권153 | 번역문 | 039페이지**


尾.余之賤男也.生而極穎悟.余所鍾愛.己卯仲春.余自盈德謫所蒙赦而歸.二十

日朝. 行到慶州地要江院. 聞尾患痘瘡. 以是月初一日化去. 痛苦摧裂. 無以爲懷. 馬
上屬韻語. 以寫我哀.

貴賤分則殊 父子情何異 途中聞汝死 未哭心先悸 我年四十六 喜得膝下稚
眉目眞我兒 良知出凡類 甫及三四歲 動止如我意 紙筆曉愛好 梨栗知敬忌
時將簡諒授 易學而能記 六歲我入海 海上仙山邃 巾車棹舟處 隨我無不至
我遊前後溪 先我絢草屨 我獨棲石室 日來巖間戲 愛玩奇峭狀 解道靈仙祕
喜聞古善行 嫌我簡敎示 請益到噴喝 靑燈夜不寐 前年被逮行 忙別若相棄
汝立我馬傍 停鞭一回視 囚山誰與娛 憶汝何曾置 今春夢見汝 宛入南窓侍
汝豈能遠來 有疑心暗誌 幸蒙恩赦歸 料汝計日企 豈料歸岡音 是日來道次
汝沒斂不撫 汝病藥不試 所以增我傷 痛悼無與比 臨檢涕垂匙 騎馬淚霑轡
前謫失所嬌 今謫復此值 雖緣我惡業 酷罰天何事 頃歲白眉逝 至今心似刺
今又汝背我 轉覺身如寄 脩短實有命 傷生爲道累 何爲無益悲 理遣吾庶冀.


# 안개처럼 사라져버리다니
祭女文

**조 익** | 《포저집》 | 번역문 | **047페이지**


嗚呼. 吾生汝育汝. 唯望得賢配. 琴瑟和協. 偕至老壽. 子姓蕃庶. 享世間之福. 配
旣得賢矣. 閨門和樂矣. 生兒又英妙矣. 常喜所望之得諧矣. 奈何三兩年來. 兩兒旣
相繼死. 兒死之數月. 壻又死於南方. 汝聞其疾革. 馳往視之. 僅得見面. 已不能語.

此時汝之心懷痛毒. 安能不傷生耶. 我每書勉汝強飲粥以自保者. 以遺腹兒爲說. 而汝之不死. 亦冀生此兒. 以續其父之祀也. 至其年九月. 果得生男子. 而其狀貌端好. 吾夫妻與汝皆喜. 以爲不幸之幸矣. 乃兒生之某年. 汝又死. 汝死之踰月. 兒又死. 汝之夫妻子女皆煙滅而無復遺者. 世間禍故. 豈有如是之慘者乎. 天乎天乎. 何獨於吾女酷烈如是耶. 汝之仁厚柔順. 出於凡婦人甚遠. 而何得禍如是耶. 豈吾得罪於天而降之罰. 使受此摧裂之苦耶. 汝自今年正月得疾. 初甚微. 以爲偶然感冒不足憂. 而至得嘔吐之證. 始甚憂之. 然豈意以是而死耶.

嗚呼. 今年四月十六日. 乃送汝上京. 與汝相泣而別. 汝旣辭於父母. 遍與家人別. 兒童亦撫之而去. 豈意此終爲永訣耶. 八月. 吾往見汝. 至所沙有故而返. 汝臥病之中. 苦待吾往. 及聞其返. 涕泣傷懷. 以至終不得見. 天乎天乎. 此何爲哉.

嗚呼. 汝面汝言. 在吾耳目. 我心悼痛. 何時而已乎. 嗚呼. 此生終不得復見汝矣. 不知何時死而見汝於地下乎. 吾衰且老. 計亦不幾時矣. 今將入地. 來與汝訣. 呼慟腸裂. 山川爲之慘色. 計汝亦知之也. 嗚呼哀哉.

# 이제 볼 수도 들을 수도 없구나
祭亡子倚文

**조위한 | 《현곡집》 | 번역문 | 051페이지**

至于九月. 疾又作. 五日而蘇. 自後快復. 平健如常. 至于乙丑. 終歲無恙. 讀書作文. 勤勤做業. 余每止之以不讀. 而亦不能止也. 豈意十一月初一日. 昔者之疾又作.

而翌日症勢稍歇. 飮食言笑. 無異於前. 余以差員. 當往杆城. 而以汝之疾. 遲留不行.
汝勸余行丁寧. 初三日遂行. 汝言笑而送我. 馳到杆城之翌日. 官人曉來傳汝氣絶.
余躍馬號哭而來. 已束縛爲斂矣.

嗚呼慟哉. 余寧死滅而無知. 豈忍生而抱此無涯之慟乎. 汝母宿疾羸瘁之餘. 已
到難救之地. 余亦六十衰年. 不食不眠. 號慟經月. 不久當溘然從汝逝矣. 子雖不才.
爲父母心. 豈忍恝然於其死. 而況汝年未弱冠. 有似老成. 頭角嶄然. 端予已見. 言論
才行. 逈出凡流. 余之有過. 汝實糾之. 余常敬憚. 以爲知己. 性復多藝. 旁通雜術. 鍼
藥卜筮. 無不傳習. 而每作絶句. 語甚悲楚. 余戒之以勿復作如許文字. 而竟不改也.
其亦預知不久於人世. 而感發於性情耶.

嗚呼慟哉. 八月. 余率汝姊上京之時. 爲汝求婦. 定約於開春. 而豈料未及委禽之
日而徑先夭逝. 皇天皇天. 我何罪焉. 伯魚之學詩. 童烏之與玄. 雖不敢當. 苗而不
秀. 其或近之. 西河喪明. 君子非之. 而東門不哭. 亦獨何心. 尤所痛恨者. 嶺外遐方.
無明醫良藥. 治療失當. 救活乖方. 竟至於斯. 天地有窮而此恨無極. 余每以留汝姊
於玉果. 一別三年. 思念成疾. 而前年又送汝次姊於康津. 稚齡弱質. 遠別天涯. 其爲
我心傷痛如何. 而又見此慘毒之禍而不自死滅. 延延累月. 視息猶存. 人之一死. 在
我則難. 嗚呼慟哉. 早知汝之至於斯. 吾何棄汝而遠出. 不及見汝屬纊之時乎. 哭汝
之日. 思欲發斂開襲. 復見汝之顔面. 而爲旁人沮抑而不得也.

嗚呼慟哉. 此生不得復見豐盈之犀角. 而不得復聞言語之琅鏘. 讀書之聲. 猶在
於耳傍. 趨庭之貌. 宛然於眼中. 呼之名而若有應也. 執之手而如有得也. 竟無聞焉.
竟無見焉.

# 나 죽거든 너와 한 기슭에 누우련다

哭子

이산해 | 《아계유고》 권2 | 번역문 | 055페이지

汝何棄我去 邁邁不我顧 哭擗汝不知 長呼汝不寤
汝逝已半月 胡不一入夢 精靈豈無知 恐我增摧慟
庚辰哭汝兄 恨未同入地 翌春幸得汝 哀情頗自慰
朝夕冀長成 何心勤訓誨 汝齡纔過十 頎然出同隊
前歲值喪亂 十口竄林谷 遑遑隨母妹 千里尋遠謫
間關踰峻嶺 跋涉忍飢渴 三年黃保里 饘粥幸無恙
任汝恣遊嬉 恃汝尙康壯 脚痛吾不憂 誰知竟危劇
八日氣如線 奄奄漸就絶 人疑邪作祟 誕妄吾不許
或言腫內發 此說亦無據 證皆不識 何由試良藥
宛宛汝眉目 如在吾坐側 琅琅汝笑語 如對兩兄謔
日暮待汝歸 夜深呼汝宿 時時忘汝死 翻然忽驚覺
固知慟無益 情鍾難自抑 死豈有先後 未死情未了
汝兄二十亡 今汝十四夭 人孰不哭子 誰如我偏酷
平生吾積惡 致此殃禍沓 空山寄旅櫬 香火時一哭
東風舊遊地 草如去年綠 汝去不復廻 如何不摧裂
早晚倘蒙恩 貨馬載汝骨 歸葬故山土 死後同一麓
志願止此足 人事奈難必 魂去無不之 尋兄好追逐.

# 말보다 눈물이 앞서니

祭亡女崔家婦文

정　철 | 《송강집》 원집 권2 | 번역문 | 061페이지

維萬曆十九年歲次辛卯六月某日. 汝父松江翁負譴退在海濱. 遙令殯側執事代
奠一杯于亡女崔氏婦之靈.

　嗚呼. 爾其性惠而婉. 資美而淑. 不雕不琢. 而金而玉. 余於擇配. 未免愛惑. 以
病人匹. 數月而歿. 年纔升二. 汝甚幼弱. 遭茲慘毒. 哭擗無節. 分死不食. 一日屢
絶. 聲音所逮. 余不忍近. 制畢三霜. 小心愈謹. 衣素飯糲. 十有二年. 哀其日臞. 勸
以葷羶. 中心隱痛. 淚. 激言先. 知不可奪. 相對鳴咽. 因循荏苒. 轉成痼疾. 支離久
喘. 形容已脫. 悶不能救. 更申前說. 徐當從命. 且延時月. 死前數日. 自求滋味. 曰
違親命. 於孝則未. 吾將死矣暫屈素志. 不久而終.

　嗚呼彼蒼. 與德嗇壽. 理何茫茫. 此雖天命. 人事致之. 嚴冬冷室. 氷雪生肌. 強
亦難恃. 病何能支. 家本窮空. 鹽米屢罄. 汝於夫家. 情事不應. 爰立小屋. 奉爾烝
嘗. 平生至願. 力薄未遑. 諸般奇蹇. 種種悽傷. 潛銷暗鑠. 竟至膏肓. 委之庸醫. 猶
曰不慈. 況茲夭札. 職余之失. 百年愍痛. 已矣無及. 尤可痛者. 病不相視. 歿不永
訣. 片田殘口. 分自賜籍. 契券之成. 汝病之篤. 恐汝心動. 祕而不發. 此等哀悰. 知
乎不知. 所賴迎曙新阡. 惟夫是依. 生哀雖苦. 死樂無違. 惟汝惬願. 余亦何悲. 況
吾高陽. 松梓相望. 異時魂魄. 相與飛揚. 然則我父子人間之樂雖少. 而地下之樂無
窮. 又何哀哉. 汝亦少寬苦懷. 來擧乃翁此杯. 尙饗.

# 팔공산 동쪽에 아이를 묻고

殤兒壙記

양희지 | 《대봉집》 | 번역문 | 067페이지

此. 吾殤兒榮大之藏也. 成化十二年丙申. 余承恩讀書于藏義寺. 曹大虛自金山來. 傳家書. 兒以九月四日午時生矣. 余喜甚. 名之曰榮大. 蓋是夕. 有宣醞賜筆之榮. 而因大虛聞其生. 故所以志也. 臘月納由還. 見其骨格淸俊. 眉眼如畫. 笑謂家人曰. 善育之. 不是庸凡物. 二歲. 能識數千字. 三歲. 能運筆書大字. 字畫軒然飛動. 四歲五歲. 能作詩著說. 皆驚人語. 六歲能解交易變易之理. 洪棄善, 許獻之. 交口稱之. 以爲子安居實. 無以過之. 而余亦心奇其警敏也.

辛丑秋. 余取達城山川之夷曠. 挈寓于美理. 今年夏. 兒隨其兄. 往棲仙槎菴. 菴有崔孤雲洗硯池. 兒日倘佯嘯詠於池上. 謂其兄曰. 夢一道人. 挾我飛上天. 仍病歸家. 不數日而夭. 是壬寅六月十七日也. 嗚呼惜哉. 蔡耆之慰之曰. 道人分明是崔仙. 而愛其才. 相感相携而去. 何悲焉. 此則强作詼誕之語耳. 假使兒雖有太白長吉之才. 崔仙之仙. 去已千秋矣. 焉有不昧精魄. 眷顧於一少兒. 與之相感而相携也. 只緣余平生罪惡. 移於兒而短其命也. 不然. 豈以兒俊骨奇才而玉折於十歲之前也. 兒降之日. 家人夢. 偉然皓眉翁. 來言奇男子生. 意者道人. 無乃此皓眉翁而爲之消息於來去否.

嗚呼絶悲矣. 厥八月旣望. 瘞于八公山卯麓向离之坎. 兒姓楊氏. 父熙止. 以弘文館校理. 乞郡出守泗川縣. 以事遞. 母李氏.

# 봄바람에 떨군 눈물 적삼에 가득하네
悼子篇

**강희맹** | 《사숙재집》 권4 | 번역문 | 071페이지

有子有子年十三. 六親携抱稱善男. 從師讀書頗知義. 往往吐出非常談. 老夫寧知及夭札. 重之不减雙金南. 今日送兒隔九原. 逢人欲說猶懷慚. 嗚呼一歌兮歌以黯. 春風吹淚盈裙衫. 老夫朝燕蒙險艱. 兒呼老夫毁形顔. 兒歸九泉別老夫. 老夫無路能追攀. 兀然捫閣坐無語. 終南安得齊憂端. 嗚呼二謌兮歌未闌. 傍人爲我茹辛酸. 昨日羣兒滿東閣. 爭呼小字善爲譃. 今朝群兒走且泣. 含悲往往來弔客. 爾胡長臥叫不聞. 百年使我傷心曲.

嗚呼三歌兮歌轉促. 欲從遠遊天地窄. 兒存我亡我不亡. 家聲不替久遊光. 我存兒亡我卽亡. 只留形影幾欲僵. 文敬公孫不盈百. 晚歲得兒心最良. 我欲倚兒兒不存. 我心非爲一身傷. 嗚呼四歌兮我涕滂. 仰覗皇天徒蒼茫. 膏肓大疾尙可醫. 傷心一念療何時. 刖者能行盼者視. 失兒老夫何所爲. 我時排悶欲自寬. 悲自中來來無期. 是心當與此身存. 一生永抱無窮悲.

嗚呼五歌兮歌且噎. 九原何處尋吾兒. 人來慰我莫歎咳. 渠是三生冤債家. 我聞此語稍抑情. 一念忽來昏眼花. 情鍾我輩我何堪. 愛翻爲苦其奈何. 嗚呼六歌兮不成歌. 天地有窮心無涯. 苗而不秀豈其天. 坡仙此語古來傳. 眼前忽失雙明珠. 秀而不實尤可憐. 保養日日望成立. 鬼物奪我何其顚. 驚呼熱中未卽死. 老眼無淚心茫然. 人來怪我太無情. 焉知却是心常煎.

嗚呼七歌兮何因緣. 奈何天耶奈何天.

# 가슴이 무너지고 마음을 걷잡을 수 없으니

配所輓妻喪, 夫人禮安李氏哀逝文

**김정희** | 《완당전집》권10, 권7 | 번역문 | 081페이지

那將月老訟冥司

來世夫妻易地爲

我死君生千里外

使君知我此心悲

壬寅十一月乙巳朔十三日丁巳. 夫人示終於禮山之楸舍. 粤一月乙亥朔十五日己
丑夕. 始傳訃到海上. 夫金正喜具位哭之. 慘生離而死別. 感永逝之莫追. 綴數行
文. 寄與家中. 文到之日. 因其饋奠而告之靈几之前曰. 嗟嗟乎. 吾桁楊在前. 嶺海隨
後. 而未甞動吾心也. 今於一婦人之喪也. 驚越遁剥. 無以把捉其心. 此曷故焉. 嗟
嗟乎. 凡人之皆有死. 而獨夫人之不可有死. 以不可有死而死焉. 故死而含至悲茹
奇寃. 將噴而爲虹. 結而爲電. 有足以動夫子之心. 有甚於桁楊乎嶺海乎. 嗟嗟乎.
三十年孝德. 宗黨稱之. 以至朋舊外人. 皆無不感誦之. 然人道之常. 而夫人所不甘
受者也. 然偉也可忘. 昔甞戲言. 夫人若死. 不如吾之先死. 反復勝焉. 夫人大驚此言
之出此口. 直欲掩耳遠去而不欲聞也. 此固世俗婦女所大忌者. 其實狀有如是者.
吾言不盡出於戲也. 今竟夫人先死焉. 先死之有何快足. 使吾兩目鰥鰥獨生. 碧海
長天. 恨無窮已.

## 목소리와 얼굴이 점점 멀어지니

祭亡室氏文

**심노숭** | 《효전산고》 | **번역문** | 087페이지

東園雪消層磵流 春陰垂地嬌雲浮 寂寂重門後堂閉 蛛絲冒塵竹簾頭
女墻東畔古槐下 綠芽如絲新艾抽 君在年年煮艾會 堂中歡笑聚娌妯
摺褰裙對束在腰 手裏短刀曲如鉤 老親臨視課多少 採採行隨兒携簍
須臾湯成復炊熟 北市買醬西市油 門前商賈貫目魚 狼藉皮鱗備時羞
我又當飡索一飮 解珮君與小婢謨 重言叨叨飭待遲 巷口申娘新釀篘
甌坐盤筵笑語喧 我亦吟詩失千愁 前年我行西出關 三月湖山千里遊
歸來君病艾亦老 泣道行期何遲留 時物如流不待人 人生其間如蜉蝣
我死明年艾復生 見艾子能念我否 今日偶從弟婦食 盤中柔芽忽梗喉.


## 그대 목소리 아직 들려오는 것 같고

祭淑人昌寧成氏文文

**안정복** | 《순암집》 | **번역문** | 099페이지

今日是乙未三月戊申朔也. 夫鼎福謹告于淑人昌寧成氏之靈而哭之曰.
淑人之亡. 今已三月矣. 今已三月而猶不知其爲死也. 自外而入. 有若聲音之相
聞. 饑而有求食之意. 病而有求安之念. 家務之商量者. 忽若有相議之心. 輒起旋止.

四十七年. 同甘苦共悲歡. 如鼓瑟琴之義. 至此已矣.

嗚呼痛哉. 今淑人定死矣. 淑人昔與我共事吾親. 恒以甘旨之不充爲憂. 遽纏風樹之痛. 未遂善養之願. 淑人今歸矣. 下從父母舅姑于泉下. 其能夕乎父母. 朝于舅姑. 承歡如平日. 而團聚之樂. 與人世無間耶. 若然則淑人之死. 不可謂不幸. 而顧此遲遲不死. 不與淑人同此樂者. 果可悲矣. 嗚呼痛哉. 今因哀悼之心. 追念疇昔之事. 淑人孝謹之行. 根于天性. 入門以後. 未有違德. 舅姑愛之. 室家宜之. 敬恭承奉. 不敢暫懈. 咈逆之色. 違越之事. 未嘗一施于舅姑之前. 自少至老如一日. 若其有疾. 則食物之外. 至於藥餌調煎之類. 躬自行之. 不以委人. 我家貧甚. 人口衆多. 而祭祀之繁重. 賓客之浩煩. 歲入不能供其半. 淑人殫竭心力. 左右拮据. 要以盡吾誠而止焉. 及其疾病危困之時. 若當享祀之辰. 雖不能躬執籩笾. 而達宵不寐. 照察物品. 其非向先之誠有過人者. 能如是乎.

淑人性度柔順. 謙下爲事. 惟以中饋自任. 詩所謂無非無儀. 惟酒食是議者. 其惟淑人乎. 我性勁急. 雖在父母之前. 或欠愉惋之色. 則淑人必戒之曰. 吾聞古之孝子. 有柔色婉容. 未聞以勁直之氣事親. 苟不如是. 何貴乎學. 我之胎疾. 雖未能勇革. 心焉欽服. 盖已深矣. 但余疎迂少曲折. 其於淑人. 未嘗以一言相假. 淑人每以不知己爲言. 然我豈不知. 而淑人之以不知爲尤者. 亦豈實語哉. 噫. 余孱質自少善病. 晚嬰奇疾. 疾症之動. 頃刻難保. 淑人憂勞焦煎. 當食不食. 當寢不寢. 衣不暇解. 足不暇履. 不以老而少懈. 使我保有今日. 淑人之力也. 此雖家人之常事. 而淑人之殫誠盡意. 非人所及也. 今我獨存. 淑人歸矣. 此恩其可忘哉.

所可恨者. 緣吾窮貧. 使淑人不得一日安其身. 糟糠不厭. 冬無絮夏無葛. 疊草而席. 折裙而被. 人所不堪. 而我或慰之. 則對之以克家之不及人. 淑人之勤儉不懈.

至于屬纊之日. 而尚猶眷眷. 則豈克家之不及人而然耶. 淑人謙下之德. 於此尤可
見矣. 六七年來. 淑人病情. 信有源委. 泄痢之候. 隔滯之症. 實非老境所宜. 究厥所
祟. 寔由於居窮飢困. 而終不能用以大劑. 補其眞元. 荏苒年歲. 至于去年. 病勢添
重. 以至于斯. 此豈非終天之恨哉. 去冬以後. 我知病勢之無可爲也. 欲治送終之具.
而聞有淑人手線繭紬. 將欲用之. 淑人力止之. 盖其意爲我他日地也. 雖在疾病之
中. 向我之意. 若是至焉. 事雖瑣細. 不覺心痛. 壬辰以後. 我再被召赴. 淑人戒之曰.
世路多巇. 直道難容. 第念丈夫天性疎闊. 信人太過. 恐非處末世之道也. 吾家儒素.
不知軒晃之貴. 不如服田力穡. 以救朝晡之資. 斯已可矣. 今則致養無所. 仕宦何爲.
此豈俗間庸婦所能道哉.

嗚呼痛哉. 淳謹之質. 端潔之操. 謙下之德. 今不得復覩矣. 我平生不輕許人. 豈於
淑人. 爲溢美之辭. 嗚呼痛哉. 淑人今已蟬蛻于血肉軀殼之中. 浩蕩于太虛二氣之
間. 聞我此言. 其或矜而憐之耶. 抑或笑其不知命耶. 是未可知也. 一子槃孤. 一女未
奔. 此我心之所痛. 淑人亦或傷心否乎. 今因朔奠. 呼寫伸告. 靈若有知. 鑑此衷曲.
嗚呼痛哉. 尙饗.


# 뜻은 무궁하나 말로는 다 하지 못하고
祭亡室李氏文

**송시열 | 《송자대전》 권153 | 번역문 | 107페이지**


維崇禎丁巳五月初四日. 待刑人恩津宋時烈聞亡室李氏之. 柩. 以朝論之急. 不

暇擇吉. 倉皇權厝于儒城之山麓. 遠遣奠具. 使少孫晦錫代告于柩前曰.

嗚呼. 吾與君爲夫婦. 五十三載于斯矣. 其間迫於吾之貧. 糟糠未嘗厭. 而拮据勤苦之狀. 有不可勝言. 且以吾之積殃. 子女多夭. 其悲割痛毒. 有非人之所能堪者. 及至近歲. 遭罹禍釁. 與之契闊者. 于妓四年矣. 時時傳聞駭懼. 其所以消心煎腸. 驚怖炒迫者. 曷有其極. 卒之致羸嬰疾. 以至於斯. 究厥始終. 罔非由我命之不淑. 配此無良. 君雖不怨. 我何勝恧. 粤自去歲. 亦欲來會. 而群議所沮. 輒復趑趄. 謂或時議稍緩. 危端少延. 則相携乘便. 似有其日. 書辭往復. 無非此事此志終孤. 且尤難暝. 日者承凶. 亦令子孫歸葬於萬義. 使與子婦相依. 忽此事急. 又不如計. 亦一不幸也. 雖然. 時人之論罪方劇. 瘴海之鑠肌已深. 此生之盡. 匪朝伊夕吾之子孫與諸弟. 倘歸骨於故山. 亦當遷君而合祔矣. 穀異死同. 此維其時. 此外復何言哉.

嗚呼. 目今流聞甚惡. 君如在世. 何耐抑罔極. 然則倏然先逝. 冥然不知. 還爲後死者所羨也.

嗚呼. 其亦然乎其亦如平日之善懷而椎胸躑躅於暗中耶. 嗚呼. 事出倉卒. 行人臨發. 意無窮而言不能盡. 惟君不昧. 鑑我悲誠. 嗚呼哀哉. 嗚呼哀哉.


# 꿈속에서라도 한 번 만났으면
祭側室文

**이시발 | 《벽오유고》 | 번역문 | 113페이지**


維萬曆三十七年歲次己酉七月庚辰朔十三日壬辰. 穎翁祭于亡側室李娘子之靈.

嗚呼.汝其棄我而何之.我嘗謂汝曰.汝年少我十六歲.汝之死當後我.汝必曰.我願先死.嗚呼.汝今先我而死歟.死生脩短.有命有數.余固知無奈何於此而抑之.余情有不忍於汝者.今欲有言.氣已先塞.

嗚呼.昔余之求嗣卜姓也.聞汝有美質.寤寐反側殆半歲焉.果得汝之爺孃許汝歸我.自定情以來.觀汝志行.其聰明穎悟之才.端靜淸淑之資.果非尋常閨秀之比.所以愛敬于親.盡誠于所夫.友于兄弟者.無非得於天性.而至其博文史.精琴棋.工刺繡.解書畫.乃其餘事之能.余之情鍾特甚者.豈徒爲才色之美而已.自汝登吾門.余卽祗役于外.星而慶遘而戍.今又於箕.凡十一年于玆矣.汝常隨余.同我旅食.未嘗與汝一日共一鍋同一瓢者.良以此也.然汝年尙少.余齒未嘗晩節.契闊謂有其日.豈謂今日天殁於殊鄕.而終乖居室之願耶.當汝分娩之夕.汝之家君凶訃適至.余知汝之誠孝極天.必至哀毀傷生.故擬待汝之起疾而傳之.豈謂汝竟不知汝父之死而身亦死耶.汝方疾亟.詔使臨境.奔走應接之際.已覺其不專於救視.深以爲恨.況當出疆.義在隨行.汝旣知余行之不可挽.余亦知汝病之將不救.汝乃脈脈相看.垂淚執手連呼曰.哀哀不得再相見也.更不暇出一辭.余亦恐汝之心動益傷.中抱無窮之慟.而外爲慰解之言.翻然告別而去.

嗚呼.此日之慟.天地鬼神知之.亦不勝其慘怛矣.余行三日.汝果不救.汝訃到日.余猶西邁.旣不得見其瞑.又不得聞其訣.又不得撫其屍.初終凡事.皆付於汝所不知人之手.嗚呼.此豈汝平日之所願.亦豈汝平生之所料哉.一生至慟.長結於此.而恐無可解之日也.嗚呼.海兒之疾.沈痼數月.汝嘗慮此兒之死.豈意汝之死先于海.而海之死又相隨耶.以汝言之.則父己子三世俱殁於兩月之間.天之降酷禍.一至於此耶.汝亡十二日之後.余始返自龍灣.荒涼旅殯.母子相對.嗚呼此慟.肝膽欲裂.

彼蒼者天. 曷其有極. 余之西行. 汝問回期. 我今及期而返. 已何之汝. 昔余之自外而
歸. 汝必迎門而笑. 今我之歸. 汝何頹然若此.

嗚呼. 吾將歸汝櫬於湖鄉. 埋汝骨於新卜之阡. 仍爲余後日同歸之地. 庶不負汝之
素願. 其果能如計耶. 且當使汝婢僕. 守汝之墳. 使三年香火不絶. 汝其知耶不知耶.
新生之兒. 生死未可卜. 而達敏兩兒. 今已稍長. 我當撫養愛育. 有加於汝在之時. 冀
其長成. 使汝祀事有托. 汝亦默佑於冥司. 無令夭歿如汝則幸矣. 嗚呼已矣. 琅琅之
音琅琅之音. 今不可復聞. 宛宛之容. 今不可復見. 而言猶在耳. 顔猶在目.

嗚呼. 有此耳此目. 之何時可忘也. 今猶有望於一見者. 只是夜夢之間. 而自汝之
亡. 迨未一相接. 嗚呼. 汝豈獨無情. 一至於此. 想其神魂飄蕩. 杳莫知其所之耶.

嗚呼. 十年之懽愛. 曾不能以一瞬. 而死別之悲. 長爲百年之慟. 懽何其短. 慟何其
長. 嗚呼. 地下相從. 古有斯說. 倘或不誣. 早晚有再見之地耶. 更卜他生. 人亦有言.
末了之緣. 抑有再結之期耶. 嗚呼. 必無此理. 一聲長慟. 慟言有終而情不可極. 嗚呼
慟哉.


# 서러움에 눈물만 줄줄 흐르누나

亡妻祭文, 亡妻淑夫人金氏行狀

**허 균** | 《성소부부고》 권15 | 번역문 | **119페이지**


惟靈性惟恭恪德則幽閑早事先姑姑志甚䵄死而從姑來窆玆山荒野煙蔓
月苦霜寒子子孤魂悲影之單踽十八年夫貴陞班恩賁追封紫誥回鸞賤時共貧

祈我高官及官已歿寵命徒頒焉得同榮我懷漫漫想魂有志其亦汯瀾一酌官醪
悲來涕潸.

夫人姓金氏. 上洛大姓也. 前朝大相方慶之女孫暘若齋九容. 有盛名於麗季. 官
至三司左使. 其四代孫胤宗. 武擧官節度. 而其子震紀. 庚子司馬. 筮仕別提. 寔生諱
大涉. 亦司馬癸酉. 而筮仕都事. 娶觀察使靑松沈公銓之女. 夫人卽其第二女也.

生隆慶辛未. 年十五歸吾家. 性謹愿樸而無飾. 勤於織任組紃無少怠. 言若不出
口. 事母大夫人甚恭. 晨夕必親省. 食必嘗進. 遇節則饋時食甚豐.

待婢僕嚴. 而怒罔詈以惡語. 母大夫人稱之曰. 我賢婦也. 余方少年好狎遊. 無幾
微見於顏面. 若或少縱則輒曰. 君子處己當嚴. 古人有不入酒肆茶房者. 況甚於此乎.
余聞而心愧. 少或戢焉. 常勸余勤學曰. 丈夫生世. 取科第躋膴仕. 可以爲親榮. 而
私於己者亦多. 君家貧姑且老. 勿恃才而悠泛度日. 光陰迅速. 後悔曷追乎.

及壬辰避賊之日. 方娠困頓至端川. 七月初七日. 生子. 越二日. 賊猝至. 巡邊使李
瑛退守磨天嶺. 余侍母挈君. 達夜踰嶺. 至臨溟驛. 氣之不能語. 時同姓人許珩. 邀與
俱避海島. 不得留. 強至山城院民朴論億家. 初十日夕. 命絶. 以牛買棺. 裂衣以斂. 肌
肉尙溫不忍埋. 俄聞賊攻城津倉. 都事公亟命權厝後岡. 享年二十二. 而同住凡八年.

嗚呼痛哉. 其子以無乳夭. 初生一女. 長適進士李士星. 生子女各一.

己酉. 余陞堂上拜刑曹參議. 以例追封淑夫人. 噫. 以君之淑行. 年不克中壽. 且
絶其嗣. 天道亦難諶矣. 方其窮時. 對君挑短檠. 熒熒夜艾. 展書讀之. 稍倦則君必
戲曰. 毋怠慢遲我夫人帖也. 豈知十八年之後. 只以一張空誥. 薦之於靈座. 而享其
榮者. 非吾結髮之述. 君若有知. 亦必嗟悼.

嗚呼哀夫. 乙未秋. 返自吉州. 又瘞於江陵外舍. 庚子三月. 從先夫人永窆於原州
西面蘆藪. 其原則在先塋之左. 寅坐而申向也. 謹狀.


# 상여소리 한 가락에 구곡간장 미어져
祭亡室淑人郭氏文

**권문해 |《초간일기》| 번역문 | 125페이지**


乾坤之定. 夫婦之出. 倫其有五. 序則居一. 生始福源. 人紀之極. 我年二十. 君年
廿四. 天定厥配. 藏在于癸. 婉順之容. 貞嘉之德. 宜其一家. 不失婦則. 磶之聲. 妬猜
之說. 三十年來. 一不耳入.

嗚呼. 我爲長子. 君爲獨女. 有子有女. 思我繼序. 年迫知命. 兩鬢如絮. 未見一兒.
人事可憫. 冥思天道. 生理不盡. 木有花實. 草有莢甲. 魚兒滿腹. 螽子九十. 天何不
惠. 於我獨靳. 身後之歎. 君我何間.

嗚呼. 無子者壽. 俗諺之常. 偕老之約. 庶幾無疆. 云胡一疾. 而至奄忽. 年過五旬.
不爲夭札. 堂有老母. 已迫頤期. 今何先逝. 棄之如遺. 晨夕之養. 甘旨誰供. 百歲之
後. 襄事誰奉. 念念至此. 哀淚泉湧. 木石長存. 樗櫟最壽. 下民孔多. 君獨何咎.

嗚呼. 弟有二子. 取一爲嗣. 君多撫育. 無異出己. 今知讀書. 年已十二. 使之服衰.
侍君靈几. 勿謂寂寞. 無子有子. 日望成長. 有婦有孫. 奉君香火. 期垂後昆.

嗚呼. 瞻彼龍門. 先考攸宅. 卜君之兆. 于彼其側. 洞壑幽深. 松檜蒼鬱. 君其奉侍.
以妥以寧. 遠隔先塋. 勿以洨情. 三從之義. 無間幽明. 商襄不遠. 魂必來往. 如水之

在, 流通下上. 慮君身寒, 製送裳服. 慈母手線. 血淚沾濕. 千秋萬歲. 服之無斁.

嗚呼. 人之死生. 如晝有夜. 有始有卒. 脩短同化. 素輀旣駕. 靈道脩阻. 一聲蕷露. 長慟無語.


# 어리고 철없는 딸은 누가 돌보며
祭亡妻淑人文

**김종직 | 《점필재집》 | 번역문 | 131페이지**


月日. 夫具位金宗直. 謹以淸酌時羞之奠. 敢哀告于亡室曹氏淑人之靈. 嗟嗟淑人. 棄我何遽. 百年之約. 三分纔一. 卅年伉儷. 一朝而訣. 追惟往事. 胡寧忍說.

嗚呼哀哉. 君生名族. 配我儒素. 柔淑寬慈. 中有尺度. 祗順先妣. 晚益和裕. 先妣每云. 吾婦可慕. 我姊我妹. 驩然相護. 妯娌之間. 一無或忤. 鄕里親戚. 孰偏好惡. 德何克全. 壽何不具.

嗚呼哀哉. 我性鳩拙. 飯石厭實. 君亦安貧. 不事羸利. 非食惡衣. 始終罔異. 如値賓祭. 儀物必備. 君調醎酸. 蔾藿亦美. 五噫孟光. 柴桑翟氏. 君實似之. 我所深倚. 方謀休官. 採山釣水. 白首相依. 以保餘齒. 玆計幾就. 胡遽至此.

嗚呼哀哉. 君之生世. 艱厄重仍. 年未周星. 母疾不興. 外曾考妣. 鞠育哀矜. 未及于笄. 累失所憑. 從外王母. 女範其承. 王母又沒. 沈痛曷勝. 及歸于我. 休咎輒徵. 歡不滿眼. 得禍尤弘. 兩更三年. 黽勉嘗蒸. 我葰聞道. 百鬼侵陵. 二女五男. 相踵魂升. 君以摧裂. 夙癠轉增.

嗚呼哀哉. 昔君得疾. 實因解挽. 風邪血毒. 于中旋轉. 十載服藥. 積聚銷鑠. 往往復患. 厥證亦淺. 久而當已. 庶幾平善. 遂致因循. 治療不勉. 竟以此終. 令我慚靦.

嗚呼哀哉. 君之嚴君. 康強在堂. 良辰佳節. 誰侑酒觴. 君之兩女. 少者在房. 他日于歸. 誰辦其裝. 君之諸弟. 譽聞俱良. 蒸嘗煮粥. 誰爲而當. 奴婢滿庭. 失廕倀倀. 左右使喚. 誰其主張. 新築屋廬. 有園有塘. 君不留居. 誰與周章.

嗚呼哀哉. 寂寥西閤. 君其在玆. 衣衾盥櫛. 象君平時. 飲食供具. 亦且隨宜. 君昔劬勞. 終無一兒. 執喪者誰. 嗚呼已而. 我欲辭疾. 爲服杖期. 謬蒙上眷. 賜藥以醫. 難辜恩命. 將赴京師. 君之襄事. 吾將遄歸. 幽明無間. 當知我悲.

嗚呼哀哉. 米谷之原. 松楸欝欝. 玉果兩壠. 安厝其中. 君母及子. 在兩壠東. 營君宅兆. 卜以玄冬. 九泉會合. 其樂融融. 逝者然矣. 生者曷從. 奠酹以告. 號慟莫窮. 嗚呼哀哉.


# 눈을 감아도 잠은 오지 않고
伍更歌

**강희맹** | 《사숙재집》 권1 | 번역문 | 137페이지

歲壬寅冬. 夫人歿. 傷悼之極. 因作五更歌. 書諸閨壁.

初更人定四壁靜. 瞌眼無眠長耿耿. 坐臥吟呻閤瘦軀. 何以度此寒夜永.

二更欲睡睡不來. 引睡強傾三兩盃. 萬念繁興轉紛撓. 未堪氷炭嬰于懷.

三更不寐坐支頤. 燈影微明更鼓稀. 旋倚居然過夜半. 拓窓頻看星河移.

四更猶未曉添床. 沈痛無端迫我腸. 天地有窮愁不盡. 固知非病亦膏肓.

五更鷄叫趁鍾聲. 起擁衾裯坐達明. 不是朝來愁便去. 愁仍夜暗倍冥冥.

# 눈물만 줄줄 흐를 뿐
祭亡耦吳氏文

**변계량 | 《춘정집》 권11 | 번역문 | 141페이지**

嗚呼. 偕老之期. 曾未再朞. 而至斯耶. 念昔告歸. 龍駒之東. 謂當生子. 以嗣吾宗. 豈意一夕而至斯耶.

嗚呼奈何奈何. 病未得投以藥. 歿未及見其終. 徒撫斂殯. 以摧我衷. 疾病之際. 平人所愼. 況復懷孕. 救療當盡. 曰初不豫. 何不早圖. 乃至隕命. 而以誤吾. 訃音初至. 其夢其眞. 痛念昔故. 怛若抽神. 謂言不歸. 儻免此災. 天長地久. 爲恨可涯.

夫死生壽夭. 稟於彼天. 自有定數. 萬古皆然. 豈藥餌之所救. 豈居處之所致. 我嘗讀書. 洞觀此理. 尙此烏悒. 未能自慰. 念余多病. 供給孔將. 誰主誰視. 俾我而康. 又況雙親. 白髮在堂. 遽然長逝. 而不復返. 九泉之下. 想有遺恨.

嗚呼命也. 亦已焉哉. 惟當…謹於葬埋. 庶無或悔. 以塞我哀. 奠以茶餠. 侑以此詞. 拊膺一痛. 揮涕漣洏. 嗚呼淑靈. 知乎不知.

# 목이 메여 오열이 터지네

寄二兒

**정약용** | 《다산시문집》권21 | **번역문** | **147페이지**

六月初六日. 卽我賢仲氏棄世之日也.

嗚呼. 賢而窮有如是乎. 冤號崩隕. 木石爲之出涕. 尙復何言. 子子天地間. 只有我巽菴先生. 爲我知己. 今焉失之. 自今雖有所得. 將何處開口. 人與其無知己. 不如死之久矣. 妻不知己. 子不知己. 昆弟宗族. 皆不知己. 知己而死. 不亦悲乎. 經集二百四十冊. 新裝置案上. 吾將焚之乎. 栗亭之別. 遂成千古. 所切切哀痛不堪者. 如許大德大器. 邃學精識.

汝等皆不知. 唯見其迂闊. 指爲古朴. 無一分欽慕之意. 子姪如此. 他尙何說. 此爲至痛. 他無所慟耳. 今世守令上京者. 更來則民皆遮道以拒之. 未聞謫客欲遷他島. 而本島之民. 遮道以留之也. 家有大德. 而竝其子姪不知. 不亦冤乎. 先大王知臣之明. 每云兄勝於弟. 於戲. 聖明其知之矣.

# 어버이 사모하는 정이 더욱 간절하여

思父曲

**정　조** | 《홍재전서》권7 | **번역문** | **155페이지**

廿一何日. 來省象設. 履玆濡露. 孺慕彌切. 還次華城. 關雨停驆. 夷猶適願. 坐且

明發. 歷駐遲遲之臺. 行行路轉. 而陟岵之思. 耿然如結. 瞻望久之. 志感以一律.


晨昏不盡慕 此日又華城 霡霂寢園雨 徘徊齋殿情

若爲三夜宿 猶有七分成 矯首遲遲路 梧雲望裏生.


# 검푸른 먼 산은 누님의 쪽진 머리 같고
伯姊贈貞夫人朴氏墓誌銘

**박지원 | 《연암집》권2 | 번역문 | 165페이지**


孺人諱某. 潘南朴氏. 其弟趾源仲美誌之曰. 孺人十六. 歸德水李宅模伯揆. 有一女二男. 辛卯九月一日歿. 得年四十三. 夫之先山曰鵶谷. 將葬于庚坐之兆伯揆旣喪其賢室. 貧無以爲生. 挈其穉弱婢指十. 鼎鎗箱籠. 浮江入峽. 與喪俱發. 仲美曉送之斗浦. 舟中慟哭而返. 嗟乎. 姊氏新嫁. 曉粧如昨日. 余時方八歲. 嬌臥馬效婿語. 口吃鄭重姊氏羞. 墮梳觸額. 余怒啼. 以墨和粉. 以唾漫鏡. 姊氏出玉鴨金蜂. 賂我止啼. 至今二十八年矣. 立馬江上. 遙見丹旐. 翩然檣影. 逶迤至岸. 轉樹隱不可復見. 而江上遙山. 黛綠如鬟. 江光如鏡. 曉月如眉. 泣念墮梳. 獨幼時事. 歷歷又多. 歡樂歲月長中間. 常苦離患憂貧困. 忽忽如夢中. 爲兄弟之日. 又何甚促也. 去者丁寧留後期. 猶令送者淚沾衣. 扁舟從此何時返. 送者徒然岸上歸.

# 하늘이여, 어찌 이리도 가혹하십니까

祭仲氏鹿門先生文

**임윤지당 |《윤지당유고》| 번역문 | 171페이지**

維歲次戊申三月初六日戊辰. 我仲氏鹿門先生成川公. 不幸棄後學. 將以五月初二日癸亥. 大歸于泉臺. 小妹未亡人申氏婦. 遠在原峽. 聞訃號慟. 略舒悲痛之情. 搆成荒蕪之辭. 齎送於哀侄所. 以是月初一日壬戌. 其薄羞之奠. 告訣于靈几之前.

嗚呼痛哉. 以仲氏至友. 今何棄我而先歸乎. 嗚呼. 仲氏長於我十年. 而小妹脆弱多病. 衰落無餘地. 而仲氏天授卓異. 氣淸而深遠. 質粹而重厚. 加以所養者天理. 所守者天理. 天必保佑. 宜享遐壽. 小妹心竊自言曰. 吾死必先仲氏. 若獲仲氏數行文字以表墓道. 則可以爲幽明之光矣. 豈料人事之反易. 乃至於斯耶.

嗚呼. 小妹罪戾深重. 昨年失兒子. 今日又喪我仲氏. 天耶神耶. 胡寧忍予. 嗚呼小妹. 頑命尙支. 親庭舅家. 父母俱不存. 男女昆季七人. 餘者惟仲氏與季弟及小妹. 而又涯角東西. 落落難合. 心焉如結而已. 壬寅春. 仲氏爲我暮境之歡. 而來住此土. 相依源源. 浮生至樂. 孰過於此乎. 季弟悶仲氏之年高棲屑. 屢請還鄕. 丙午春. 公遂挈眷. 復返于鹿洞故宅. 四年源源之餘. 忽作此無後期之別. 伊時分手之際. 此心當如何. 痛矣痛矣. 公歸後書札中. 每以兄妹生前. 更逢爲祝. 而及至今年二月. 病患已沉淹床席. 而猶呼占成書. 責妹以哭子之過傷. 且言若不復見君而死. 則其悲當如何. 自是至捐世. 纔數十餘日. 此其絶簡耳. 從今以往. 則雖欲聞如此至愛之敎. 何可得乎. 言念及玆. 五內崩裂. 血流被面而已矣.

嗚呼. 小妹以七十垂死之年. 又遭喪明之痛. 肝膽盡灰. 餘日無幾. 隨公之後. 不過

朝暮事耳. 其將以是而自慰乎. 小妹自幼. 受公至友. 教以義方. 小妹之粗知持身. 而不陷於罪戾者. 公之賜也. 男女雖曰異行. 而天命之性. 則未嘗不同. 故其於經義. 有所疑問. 則公必諄諄善喩. 使之開悟而後已. 丙午以後. 則以文字往復稟議. 以爲消遺餘日之資. 其或聞有不安節. 則焦慮不成寢睡. 身雖在於半千. 心常馳於床下. 自今以後. 則誰爲我誨諭之勤懇. 小妹亦將誰爲而思慮不成睡哉. 悠悠蒼天. 于我曷極. 痛矣痛矣.

古人有言曰. 大德者必得其位. 必得其祿. 必得其名. 必得其壽. 世稱八十爲壽. 則仲氏雖少二年. 而亦可謂壽矣. 位者是爵之稱. 則爵莫尊於天爵. 而仲氏眞知實得. 仁義充積於已. 則所謂天爵之尊. 又孰如仲氏乎. 爵之所存. 祿亦在矣. 實之所在. 名亦隨之. 此吾所以常爲仲氏頌者也. 然不能無憾於天者則有之. 以吾仲氏明睿之資. 超脫之識. 積年講究. 不得不措. 經義禮說. 次第融解. 其會於心而筆諸書者. 多發前人所未發. 而不厭不倦. 孜孜惜寸之志. 老而益篤. 昨年貽書小妹曰. 吾年迫八旬. 死不足憐. 但恐所欲爲之志不遂. 以爲至恨矣. 朱書劄疑. 嶺伯精寫送來. 意外得此伯之此大役者. 意若有天佑. 然此外所欲爲者甚多. 心眼不得休息. 傍人謂我何苦. 然我自樂此. 不知其疲. 韓子所謂使道由我而粗傳. 雖死無恨云者. 恰恰是眞切語也. 不知此後更假得幾簡歲月. 做得幾許事業也. 吾精神則猶可有爲. 而筋力漸短. 恐此願難遂.

嗚呼. 天若假公以數年. 使遂其志卒其業. 以遺後學. 則惠莫大而功莫盛矣. 而今以一時無妄之患. 乃止於此. 豈天不欲佑斯文歟. 此其有憾於天者也. 且以仲氏絶世之學. 邁古之志. 若得時展抱. 則伊傳事業. 直擧而措之耳. 天之生公. 若將有意. 而顧乃沈屈於郡邑. 考終於巖穴. 而不得行其道於偏邦. 使民不被至治之澤. 而斯

世不復見三代之盛. 豈非難甚者理耶. 此又有憾於天者也. 至若世衰道微. 知德者
鮮. 則自古而然. 君子不慍也. 何足道哉. 曩者臺言搆誣. 禍幾不測. 家人知舊. 莫不爲
公憂遑. 獨公夷然曰主上聖明. 讒言罔極. 無足憂者. 旣果如其言. 公常言吾非聖明
天覆之德. 豈有今日哉. 國家罔極之恩. 死無以報矣. 故公雖屛迹草野. 其愛君憂國
之誠. 尤未嘗一日忘. 而惜乎其內聖外王之學. 卒未免爲紙上之空言也.

嗚呼痛哉. 嗚呼痛哉. 小妹生不得更拜我仲氏. 沒又不獲往哭於筵几. 今又仲氏
之儀容永隔于泉下. 而喪慽之餘. 神精消耗. 不能記悲緖之萬一. 執筆臆塞. 不知所
告者何事也.

嗚呼痛哉. 此何人斯. 尙饗.


# 한 번 가서는 어찌 돌아올 줄 모르는가
亡弟再朞祭文

**김창협** 《농암집》 | 번역문 | **175페이지**


維歲次乙丑十二月丁亥朔二十六日壬子. 實爲吾亡弟卓而之再朞. 其前一日辛
亥. 仲兄昌協. 略具醪羞之奠. 哭而酹之曰.

嗚呼. 二十五月. 古人不曰隙駟乎. 汝之亡也. 今適及是朞矣. 筵几之設. 哭泣之節.
人所憑依. 其在是矣. 而今將撤而去之. 抑而止之. 先王制禮. 其末如之何也已. 然
吾於汝. 忽焉相忘. 其已久矣. 內迫於夙夜. 外騖於原隰. 鞅掌王事. 不暇顧私. 朝晡
之饋. 朔望之奠. 曠而不與十八九矣. 生憐而死捐. 固其然乎. 曰遠而曰忘. 固謂是乎.

我固負汝乎.汝固恨我乎.

嗚呼.此何爲哉.夫送終之節.亦多變矣.斂而蓋棺.其形隱矣.葬而封墓.其柩閟矣.期而小祥.其服改矣.其節每變而其痛每新.然猶筵几未撤.哭泣有所.則幽明之間.未甚闊.而魂氣之交.未甚疎也.乃今將曠然廓然.使死者純乎鬼而生者一無憑焉.則送終之變.於是乎極矣.而惟我與汝.方始大訣於今日矣.此其可以無慟乎.慟其可以不甚乎.

嗚呼.卓而其亦已矣.精英之氣.昭朗之質.斂而歸之.其有處乎.凝而鍾焉.其有物乎.其猶浮漚之滅於海而未嘗亡乎.抑猶行雲之散乎天而卒無有乎.四方上下.何莫知所向.一往三年.何至今不復.

嗚呼卓而.屈伸往來.合散消息.此皆有數.吾如天何哉.惟其覃思風雅.而不能振希聲.抗志古今而不能充遠業.徒以殘藁寄其馥而短石表其名.窮天之痛.徹地之恨.惟此而已矣.

嗚呼卓而.其然乎.其不然乎.嗚呼哀哉尚饗.

# 눈물이 앞을 가려 글씨를 쓸 수 없고
祭季妹文

**김수항** | 《문곡집》 | 번역문 | 179페이지

維乙卯歲十一月乙酉朔某日干支.季兄壽恒遠具時羞之奠.使子昌協替告于舍妹淑人金氏之靈.

嗚呼. 我先妣凡擧八子. 丈夫子三人. 女子子五人. 汝於序爲最季. 先妣厄於產. 朝挽汝而夕不諱. 時惟伯姊纔施衿. 仲叔二姊俱未字. 伯仲二兄俱在毁齔. 吾與第四妹尤稚弱. 俱未離襁抱. 至今不省先妣容聲於髣髴.

嗚呼. 人之生也. 非母何恃. 而吾兄弟幼而見背. 其不天已甚矣. 況汝甫墮地而已失之. 命之奇釁. 孰甚於斯. 先祖考愍汝呱呱靡乇. 取而鞠之膝下. 又憐汝娟秀異常. 鍾愛特甚. 以爲暮境眼前娛. 不翅若珠之在掌也. 當祖考之幽雪窖也. 思戀汝不置. 屢發於吟詠. 每寄書吾兄弟. 未嘗不訊汝無恙否也. 及祖考東還. 爲汝擇對. 親見結褵之禮. 祖考之悅喜. 又特甚至. 其啓手之際. 諄諄顧言. 亦無非眷眷乎汝也.

嗚呼. 汝之於祖考. 顧復恩勤之德. 卽昊天莫酬. 則我祖考之不得享期頤. 固吾子孫所共慟終身者. 而在汝豈不益增其哀慕而益自傷其命之奇釁耶. 所幸佳耦揚名. 雲路日闢. 琴瑟相友. 家道稍成. 意者天之所以奇釁汝於前者. 將有以福汝壽汝於後也. 奈何汝鬢方華. 而汝哭以晝. 祭祭然弔影歃血. 汝之終於奇釁. 一至此哉. 然猶有所藉者. 三女旣長. 螟兒克類. 有婦有壻. 亦旣抱孫. 庶幾天或以含飴稱觴之樂. 少慰汝未亡之痛於晚景也. 孰謂汝未老而遽殞. 反使兒女輩無所恃以爲生. 而吾兄弟之在世者. 抱此無涯之戚耶. 天旣偏賦奇釁於汝之命. 而畢竟又靳汝之壽. 夫以並育群生之天. 奚獨不仁於汝此酷哉. 其亦異矣. 其亦哀矣. 汝本羸脆善病. 自罹至慟. 柴削日加. 遂嬰沈痼之疾. 然而乍歇乍劇. 淹延歲月. 未始以爲深憂也. 屬余飮氷燕路. 往返歷數簡月. 其間睽離之感. 疾病之憂. 誠有耿耿縈懷者. 而亦豈料此別之爲長訣也. 歸到鴨江. 始聞汝訃於改歲之後. 我未反命. 而汝已卽遠. 旣未及撫屍而一慟. 又因繫官束制. 不得視汝棺之入于土. 幽明之間. 此恨曷極.

嗚呼. 孤露餘生. 唯同氣是依. 而仲叔二姊. 旣先後淪喪. 汝以最季. 而又奄忽至

斯. 第四妹于歸鄕曲. 聞問亦不以時. 伯氏纔從西土歸. 將挈家入峽. 仲氏以貶逐之
餘. 屏居郊坼. 獨伯姊在都. 而年今望七. 衰疾已甚. 余又獲譴禦魅于炎徼. 死者已
矣. 生者亦落落各天. 如參商會合渺然無期. 人而有情. 尙可以堪此耶. 彼父母俱存
而兄弟無故者. 顧何人哉. 痛矣痛矣. 自余之自燕歸也. 久擬酹汝一觴. 以告余哀. 而
荐丁國憂. 終歲奔遑. 旋遭駭機. 奘命江干. 入城未幾. 仍又受玦南來. 悲恨積中. 呑
不得宣. 荏苒之頃. 再朞將周. 隔此嶺海之遠. 旣無由一哭於靈几之傍. 漬綿炙鷄.
亦不得躬奠. 尤可痛矣. 北望腸摧. 有隕如瀉. 緘辭送哀. 哀不能文. 靈其知耶. 其不
知耶.

嗚呼哀哉. 尙饗.


# 덧없는 인생이 꿈같기도 하여
祭宗兄汝晦文

**허 목 | 《기언》 별집 권12 | 번역문 | 185페이지**


嗚呼. 吾兄修潔之行. 特立之操. 有可以廉頑而礪俗. 見於言行而焯焯者. 人皆見
而慕之. 固不待知者知之. 穆以卑陋. 自從吾兄. 得於觀感而效德者. 又何可一二言
也. 曩時亂離. 經年嶺海千里. 顚沛艱難. 未嘗一日離. 而益知吾兄持守之嚴. 踐履
之方. 截然有防. 雖欲企及而不可能也.

穆自就食南中. 相別隔遠. 常自語幸未老. 更承規誨. 警起惰惰. 庶不迷途於晩年.
豈料人事奄忽. 長違而至於斯耶. 慕義平生. 存亡永隔. 俍俍於世. 知己者益少. 年前

數書枉問. 益致眷念於羈旅之難. 而日月未久. 遽聞凶訃. 嗚呼. 人情將死之感. 字字
爲永訣之語也. 天涯戀戀之思. 終作死別. 尤可悲也.

嗚呼. 自古賢者. 恒不遇而或不得其壽. 爲惡者受福. 而積行者埋沒. 不知天道竟
何如也. 稚兒托育. 孤苦無依. 萬事零丁. 得至成長命也.

亂離相依親戚數家. 如今十年之間. 喪亡殆盡. 哭弔之外. 相對掖患難者無幾. 人
生忽忽. 如夢如幻. 增使吾心. 尤茫然而悲也.

嗚呼哀哉.


# 무슨 죄로 나를 외롭게 만듭니까
祭長姊申氏婦文

신 흠 | 《상촌집》 | 번역문 | 189페이지


萬曆四十八年. 庚申二月某日. 弟欽. 謹備淸酌庶品. 遣子翊聖. 致祭于長姊申氏
之靈曰.


哀哉楊州一片土兮. 去年埋女今埋姊. 淚徹泉兮聲徹天. 恨不殺身以相倚.
五十年同胞之情. 二十年同居之義. 歿不憑棺以嘷. 葬不繞坎而慟. 嗚呼天乎.
何辜余獨兮. 嗚呼天乎. 曷其極只. 尙饗.

# 눈물이 마르지 않네
挽舍弟

**기대승** | 《고봉집》 속집 권1 | 번역문 | 193페이지

門禍何稠疊 連年淚不乾 棟崩人絶望 蘭萎歲將寒

舊屋悲風起 荒山宿草殘 茫茫執紼處 往事更摧肝

汝亡吾在外 汝葬亦難歸 兄弟分離苦 恩情生死違

鴨川秋葉亂 珍峀暮雲飛 緬憶埋金處 茫茫淚不晞

汝生何不辰 三月失慈親 寄養埃成立 酬恩極孝諄

毀深嗟滅性 悲動欲淪神 痛哭鴒原思 幽明兩莫陳

憐撫吾常愧 恩勤汝更專 分離緣薄宦 奄忽負高天

似夢情難盡 如癡淚自懸 豚兒護襄事 吾汝隔重泉.

# 떠도는 인생은 한정이 있으나 회포는 끝이 없어
祭仲兄梅軒公文, 梅軒公小祥祭文

**김일손** | 《탁영집》 | 번역문 | 199페이지

嗚呼. 吾兄乎. 兄今捨我而亡耶. 吾猶未信其亡. 豈其哀過而狂耶. 有母在堂. 有姊

俱存.有兄贖籠.有弟在傍.兄獨去此而何歸.將去此而之彼.所親有重於此耶.何平日骨肉之愛.今日棄之如弊屣也.妻妾悲啼.奴僕群號.諸姪泣血.親朋來哭.兄獨不聞.僵臥而不起.何厭世之喧聒.一至此極耶.

嗚呼其夢耶.昨日言言.昨日嬉嬉.一日不言不笑.而頹然莫覺.言不通其志.病不喩其證.藥不知其辣.灸不知其痛.使我抱無涯之慟.天乎天乎.此怨將崩.下民孔多.在兄何憚.顏回短命.而原憲長貧.姜詩出妻.而東野無兒.人生窮獨.孰加於玆.嗚呼兄乎.我慟其有知耶.其無知耶.猶恐冥然漠然我知兄之死而兄不知我之生耶.

嗚呼痛哉.死而無精靈.則長已矣.如有精靈.則必自知我之情.旣以爲有知也.則曷不於此紓我情以丁寧.


噫.歲運環復乎不窮.人生一去而莫回.長恨宇宙.亦復何追.老母遠具時羞.以備兄初忌之供.兄其知乎.不知乎.趙氏妹.自京辦奠.使其子如愚.酹以告哀.兄其享之.自兄之歿.尋常魂魄.與夢相接.或間月或間旬.或間日或連夜.如喜如怒.如惱如愁.揚揚如平昔.忽忽如大漸之時.驚覺自失.有淚盈頤.不知兄有未安於玆耶.鴉啼古隴.宿草離披.臨風一慟.草木共悲.我於今年春.奉勅往嶺南.因得覲老母.蒼顏白髮.滿目蕭然.乃曰.仲也不意先背我而去.仲實負我.我不深念仲也.然豈無無窮之念也.老母比年來.疾病去體.體氣未嘗少衰.伯氏曾作天嶺.奉養無闕.

兄若有知.亦應自慰.余亦黽勉數載.終不久於京師也.死而有相從之道.則先君杖屨.兄必奉以自隨.吾與伯氏.尙在人間.老母之養.亦無不支.死生相托.唯有祝詞.幽冥分道.孰與接辭.碑碣已具.因時不利未立.終當營竪.不出喪內.遺腹女孩.行以及晬.匍匐上膝.弄瓦叫食.知呼孃而不知呼爺也.吾與族人.且悲且喜.日夜冀

其成長而得嫁也.靈其佑耶.童能守几筵.以陪堃靈.竝知之.

嗚呼.浮生有限.懷抱無涯.脩短前定.聖賢亦歿.畢竟同歸.我又何悲.


# 그대도 아마 저승에서 눈물 흘릴 것이다

悼徐士華文, 挽徐士華

**이덕무 | 《청장관전서》 권4, 권2 | 번역문 | 213페이지**


維庚辰月日.故人某聞士華之亡.含涕作文而悼之曰.

嗚呼.生壯老死.人之四變也.有生者.不可逃.亦可悲也.

今君之亡.身不老.氣又盛.老者之死.尙可悲.況如君者乎.佐伯傳曰.士華已矣.
余方與人言.聲才入耳.惶急曰.士華誰也.士華誰也.如是者三.酒噫曰.徐君士華.
乃爾云耶.吾平日見士華.飮食不減.行步不差.何乃爾云耶.計君之年.卄七甲子.
想君之貌.貌如其年.亦何乃云爾耶.嗚呼.君家甚貧.播遷四方.出沒於世.老母不
飢.吾嘗善君之爲人曰.士華家貧.能安其親.孝恭之行.人所難知.奚至泯滅.未盡
其誠.

皤皤鶴髮.拊棺而哭曰.吾子吾子.棄吾何歸.娉娉弱婦.抱兒而泣曰.吾夫吾夫.
棄吾姑與吾兒而何歸.幼女喤喤.無知其戚.雖生長於世.安知其父面.君應歛泣於
泉臺矣.

嗚呼.今年之春.逢君於湖上.談笑竟日.君曰吾始定居高陽.上奉老親.下率妻孥.
左圖右書.讀范晔傳千遍.足以過去吾生.吾笑曰.君得計矣.吾當往之.誰知其日.

便成千古之訣乎.

嗚呼. 戊寅之夏. 君曁我與佐伯雲卿. 坐臥共之. 笑語諧謔. 親如弟兄. 好事不常. 雲卿遭喪. 佐伯移家. 君又流寓於它鄕. 余於此時. 已覺人事之易變如今. 君又亡焉. 亦復覺人世之如夢也. 二十七年. 焂如鳥. 使它人不病而痛. 冉冉如就死也. 君之老親弱妻. 子子無憑. 何故以食. 亦何故以衣. 呱呱者在襁褓. 其成就何可必也. 已焉哉.

昔日漢書晉筆. 堆於床. 今日丹旐素棺. 寄於房. 昔日寄書問安平. 今日作文吊精靈. 道途脩阻. 不能親奠而哭. 又無使者. 不得替我而祭. 只以哀悼文. 西向而大讀之. 仍以焚. 嗟嗟士華. 知之也不. 嗚呼哀哉.


夢中相見涕漣漣 舊伴高陽事已焉 破硯妻收悲活計 衰衣婢設象生年
鐘王法帖裝猶半 唐宋奇詩寫未全 縱有故人常臥病 炙鷄難奠殯棺前
江亭春訪記難忘 誰識居然訣別長 回耐斯人埋厚壤 悲凉舊伴散高陽
堂帷彷彿聞書響 硯匣氤氳襲墨香 魂魄歸來慈母哭 百年孤負祝山岡


# 관을 만지고 울면서 이르노라

洪德保墓誌銘

**박지원** | **《담헌서》 외집 부록** | **번역문** | **219페이지**


德保沒. 越三日. 客有從年使入中國者. 路當過三河.

三河有德保之友. 曰孫有義號蓉洲. 曩歲余自燕還. 爲訪蓉洲不遇. 留書具道

德保作官南土.且留土物數事.寄意而歸.蓉洲發書.當知吾德保友也.乃屬客赴
之曰.

乾隆癸卯月日.朝鮮朴趾源.頓首白蓉洲足下.敝邦前任榮川郡守南陽洪湛軒諱
大容字德保.以本年十月廿三日酉時.不起.平昔無恙.忽風喎禁瘖.須臾至此.得年
五十三.孤子薳哭擗.未可手書自赴.且大江以南.便信無階.並祈替此轉赴吳中.使
天下知己.得其亡日.幽明之間.足以不恨.既送客.手自檢其杭人書畫尺牘諸詩文
共十卷.陳設殯側.撫柩而慟曰.

嗟乎德保.通敏謙雅.識遠解精.尤長於律曆.所造渾儀諸器.湛思積慮.刱出機
智.始泰西人論地球而不言地轉.德保嘗論地一轉爲一日.其說渺微玄奧.顧未及
著書.然其晚歲益自信地轉無疑.世之慕德保者.見其早自廢擧.絶意名利.閒居爇
名香鼓琴瑟.謂將泊然自喜.玩心世外.而殊不識德保綜理庶物.剸棼剖錯.可使掌
邦賦使絶域.有統禦奇略.獨不喜林林耀人.

故其莅數郡.謹簿書.先期會.不過使吏拱民馴而已.嘗隨其叔父書狀之行.遇陸
飛嚴誠潘庭筠於琉璃廠.三人者.俱家錢塘.皆文章藝術之士.交遊皆海內知名.
然咸推服德保爲大儒.所與筆談累萬言.皆辨析經旨.天人性命.古今出處大義.宏
肆儁傑.樂不可勝.及將訣去.相視泣下曰.一別千古矣.泉下相逢.誓無愧色.與誠
尤相契可則微諷君子.顯晦隨時.誠大悟決意南歸.後數歲.客死閩中.潘庭筠爲書
赴德保.德保作哀辭.具香幣寄蓉洲.轉入錢塘.乃其夕將大祥也.會祭者.環西湖
數郡.莫不驚歎.謂冥感所致.誠兄果名.焚香幣.讀其辭.爲初獻.子昂名.書稱伯
父.寄其父鐵橋遺集.轉傳九年始至.集中有誠手畫德保小影.誠之在閩病篤.猶出
德保所贈鄕墨嗅香.置胸間而逝.遂以墨殉于柩中.吳下盛傳爲異事.爭撰述詩文.

有朱文藻者寄書言狀.

噫. 其在世時. 已落落如往古奇蹟. 有友朋至性者. 必將廣其傳. 非獨名遍江南. 則不待誌其墓以不朽德保也.

考諱櫟. 牧使. 祖諱龍祚. 大司諫. 曾祖諱瀟. 參判. 母淸風金氏. 郡守枋之女.

德保以英宗辛亥生. 得蔭除繕工監監役. 尋移敦寧府參奉. 改授世孫翊衛司侍直. 叙陞司憲府監察. 轉宗親府典簿. 出爲泰仁縣監. 陞榮川郡守數年. 以母老辭歸. 配韓山李弘重女. 生一男三女. 婿曰趙宇喆. 閔致謙. 兪春柱. 以其年十二月八日. 葬于淸州某坐之原.


# 거듭 슬픔만 되하게 되니
周道以哀辭

**홍대용 | 《담헌서》 내집 권4 | 번역문 | 225페이지**


嗚呼. 不磨不琢. 崑崗之玉. 猶之瓦礫矣. 不鑿不斲. 豫章之材. 猶之樲棘矣. 不學不修. 顔孟之姿. 不離於凡夫賤卒.

是以玉不可以不琢. 材不可以不斲. 人不可以不學. 人而不知學. 可謂智乎. 知而不能爲. 可謂義乎. 爲而不能力. 可謂勇乎. 知而爲之. 勇以將之. 斯其爲好學者歟. 昔者孔氏之門. 其徒三千. 稱好學者獨有顔閔. 曾閔以下. 蓋無與焉. 若是乎好學者之難得也. 況乎去聖人之世數千有餘歲. 去聖人之居數千有餘里.

淳風日喪而薄俗日競. 當此之時. 欲求見孔氏所謂好學之士. 不亦難乎. 雖然.

顏淵何可當也. 若絶意名利. 潛心簡編. 不避艱險. 惟道之是求者. 亦可謂今之好
學者矣.

嗚呼. 若道以者. 倘所謂今之好學者非耶. 生乎窮鄙之鄉. 志乎理義之事. 可謂
不智乎. 千里以從師. 財利爵祿. 不接於心. 非義而能之乎. 四年北學. 躬甘瑣尾.
至病且死而不以爲悔. 不可謂無勇也. 惜乎. 夭閼之年. 無所成而死也. 道以榛原
周氏之子也. 其先有稱愼齋先生者. 識道理能文章. 爲東土之聞人. 盖其淵源有
自來矣.

道以眉目秀而清. 言辭簡而諒. 踈於聲色. 淡於利祿. 固其天性然也. 少而失學. 拙
於詞章. 惟以求道之志. 奮於畎畝之中. 以爲京師人文之所萃. 踰越險阻. 不憚勞苦.
納贄于蟾村之門. 鼓篋于渼水之上. 北漢之寺. 道峯之院. 尾泉之舍. 石室之祠. 備
經苦辛. 益自振刷. 如是者數年. 識日益進而行日益將. 乃歸而見其鄉人焉. 始親戚
故舊莫不笑之者. 於是而大服焉. 鄉黨俊秀之子. 亦稍有讀書慕古之志焉. 觀此而
道以之好學. 誠於己而及於人. 可知也已. 及其復來也. 家人有身. 已七月矣. 嗟呼. 新
昏之宴. 凡民之至戀也. 抱子之樂. 人生之至慶也. 而道以乃超然自脫. 行而不顧
不亦賢乎. 今人之自謂才且德者. 坐談空言. 以爲妻子不足戀也. 及其變生事迫. 乃
廻徨血泣. 區區爲兒女之態焉. 其視道以. 果何如也.

道以素淸弱善病. 且積瘁於旅館疏糲之苦. 歲甲戌之春. 終死于石室之村舍. 盖
其復來而因不得歸. 兒生有年而亦不得見矣. 悲夫. 天之禍善人若是慘焉. 何哉. 使
道以無志於學. 伏於田間. 力農桑啖棗栗. 擁妻子而安四體. 其死也豈若是之忽焉.
人生之樂. 亦斯足矣. 乃離親戚棄妻子. 攻苦於寂寞之濱而沒身於千里之外. 此其
志何所成哉. 然則人固不必學而學果不足爲歟.

嗚呼. 豈其然乎. 人之所以異於禽獸者. 以其學也. 朝聞道夕死可矣. 君子疾沒世而名不稱焉. 一日爲學. 爲一日之人. 一年爲學. 爲一年之人. 彼七十八十而終於禽獸者. 曷足貴焉. 道以死. 搢紳士大夫聞之者無知與不知. 莫不驚吁嗟惜. 競相賻襚. 以至靷歸其鄉而道傍之牧守邑宰. 扶助出境. 如恐不及. 君子曰大哉學乎. 善之感人有如是夫.

嗚呼. 昨年之冬. 始見君於石室. 與之處不過數旬. 盍將觀善攻過. 百年以爲期. 今乃一朝而失之. 不亦悲乎.

方其死也. 余適在外. 不及時聞焉. 至靷而歸. 終不得撫棺而一慟. 道以苟有知. 必當飮恨於冥冥矣. 聞道以之遺孤甚肖其父. 天道有知. 安知無報食於異日哉. 使予居相近也. 當引而撫之. 長之育之. 待其有知. 告之以其父之事而使之卒成其未就之志. 又遠莫致之. 重爲後死者悲. 哀哉. 返櫬之日. 士友文而誄之者甚盛. 況予之愛君篤而悲君至者. 豈敢後於人哉. 顧拙陋無文章. 不能大筆揄揚. 使來世好古之士. 知道以有間世之奇志而不幸短命死也. 惟以荒辭短句. 略序其不可泯者. 聊以寫吾之悲而已. 是何足以不朽君哉. 詞曰.

黔山矗矗. 渼水瀰瀰. 展矣伊人. 溫如其玉. 駕我扁舟. 汎彼三洲. 酌彼淸酒. 伊酢我醻. 蘭之夭夭. 霜亦凝之. 噫蒼者天. 不遺一朋. 丹旐飄飄. 江流瀰瀰. 彼鳥有嶺. 故山遄止. 神駒驦風. 隕于中逵. 穹然漆㡇. 稅于魂樓. 林有鳴鳥. 淵有遊魚. 我思子好. 寧子無初. 山則有雲. 岸則有花. 千里侑辭. 維恨何嗟.

# 남기신 간찰을 어루만지며 울자니

祭星湖先生文

안정복 | 《순암선생문집》 권20 | 번역문 | 231페이지

嗚呼哀哉. 先生而至是耶. 剛毅篤實. 先生之志也. 正大光明. 先生之德也. 精深宏博. 先生之學也. 和風景雲. 其氣像也. 秋月氷壺. 其襟懷也. 今不可以復見. 將何所而依歸耶.

嗚呼哀哉. 語其道. 可以繼往而開來. 推其餘. 足以庇民而尊主. 顧厄窮而無施. 寔天理之難究. 自先生而視之. 雖若太虛之浮雲. 在吾黨而言之. 寧欲籲天而無因.

嗚呼. 小子托名門下. 十有八年. 承顔雖罕. 手教頻煩. 勉以小學詩禮之書. 戒以韜晦務實之工. 雖勤誘掖. 尙未發蒙. 恩深義重. 兢惕撫躬. 逮夫東史之編摩指導. 無有其餘蘊. 疆場之錯亂而未定者. 義理之隱晦而未暢者. 靡不奉承其成訓. 至若僿說. 謬蒙屬托. 地負海涵. 義理數宅. 雖以刊汰爲教. 管蠡之見. 顧何能窺測天海之深廣也哉. 粧成十卷. 擬將納上. 書未達而承訃. 抱遺編而增傷.

嗚呼. 小子無狀. 攝生昧方. 十載奇疾. 血壅火張. 杖屨之曠. 逾一紀餘. 若此症之小歇. 庶函丈之復陪. 何所願之未遂. 奄樑摧而山頹. 悠悠天地. 予懷曷已.

嗚呼哀哉. 死生消息. 理歸一致. 厭世乘雲. 帝鄕可至. 駕甁鶴而上征. 先生前日書. 有夢有騈化鶴. 騎而騰空遊覽快活云. 故此引用. 爲吾黨故事. 在先生爲快樂. 撫遺牘而號呼. 益增小子之痛迫. 嗚呼哀哉. 先生之病. 而不得躬自扶將. 先生之圽. 而不得與聞含斂. 雖疾使然. 死有餘憾. 素巾加絰. 少暴微忱. 替兒奔赴. 悲懷曷任. 荒蕪不文. 辭失倫脊. 尊靈有存. 尙其鑑格.

嗚呼哀哉. 尙饗.


# 좋은 벗을 잃은 외로움이 앞서

祭尹進士

이 익 | 《성호집》 권57 | 번역문 | 237페이지


嗚呼. 昔公每與不佞兄弟遊. 或抗言死國則公曰匹夫而懷邦. 舍命而成仁. 忼慨拔俗者也. 或竆居講學則公曰孜孜而勉焉. 惟好善其不足. 善量己不願外者也. 至若不佞之貿貿迷行. 而謂若有才可稱. 有志可尙然者. 袞然肯許曰可與共學者也. 不佞兄弟不自信. 而得公言爲重. 死者無憾. 生者益厲. 公庶幾不失人矣.

不佞亦嘗出而悅公之風彩. 入而思公之所存曰. 言要有物. 行要有矩. 其士而希賢者乎. 接人也恭而寬. 賢愚莫不得其歡. 其善與人交者乎. 臨事敏而中. 其藝而不局者乎.

嗚呼. 公沒而友道孤矣. 無從而聞所未聞矣. 不可復見其抑抑風裁矣. 有才無命天也. 公所不以爲意. 或以焄之者. 非知公者也. 餘事曲藝. 自臻於妙. 或以贊歎焉者. 累公之甚也.

嗚呼. 世之知公. 其不淺之爲丈夫者幾人. 此尤可悲矣.

# 눈물만 봇물처럼 흐를 뿐

祭同春堂文

**송시열 | 《송자대전》 권153 | 번역문 | 241페이지**

維崇禎癸丑二月初旬. 中表弟宋時烈竊聞同春兄出壙有日. 意欲憑棺永訣. 自華
陽深谷. 力疾西歸. 適以酬酢之煩. 所患尤劇. 不能躬奠. 遂以二十八日戊辰. 謹遣孫
殷錫. 替告于靈几而哭之曰.

嗚呼. 麏麚鸞鵠. 卽我與兄. 又如哆侈. 中有魁衡. 雖用十駕. 豈敢企及. 而世或
謂. 志同道合. 每聞斯言. 顏頳汗浹. 惟我先君. 泊先皇考. 雖姨弟兄. 情若同父. 余年
七歲. 鞠于兄宅. 兄齒加一. 已疏頭角. 相與長大. 龍猪遂分. 然兄不鄙. 切磨彌勤.
惟質之偏. 猶難變化. 兄溫我戾. 我醜兄雅. 逮共承師. 于彼溪上. 山頹梁壞. 無所
放仰. 兄亞謂我. 盍余來食. 朝暮連床. 以卒舊業. 我卽唯諾. 以告偏親. 偏親允許.
遂以家遷. 分宅割田. 數年相依. 兄忽尋醫. 輿入漢師. 余亦懷祿. 旅邸是同. 與之周
旋. 相關養痾. 俄遭大亂. 兄南我東. 兄旣北還. 我尚漂泊. 十數年間. 只騰牋札. 闊
隔旬時. 兩皆忉忉. 聖考御極. 猥同旌招. 去就是非. 雖或差池. 究厥終始. 實同要
歸. 晚而卜築. 又遷先兆. 並皆密邇. 勤荷詔敎. 謂當百年. 永資麗澤. 今遽先我. 我
復疇毛.

嗚呼. 兄之盛德. 匪我蠡測. 雖欲形容. 安敢萬一. 昔兄疾革. 余在深谷. 聞卽走歸.
握手嗟吁. 問可諧慮. 如邵子不. 笑答何能. 無此力量. 其爲謙德. 彌所歎尙. 兄又謂余.
幸須平心. 復我邦族. 以勸以禁. 玆事體大. 豈余可任. 曾聞獎余. 高山可仰. 此又敢當.
祇增怡悅. 一條淸水. 湛栗之稱. 兄謂無愧. 匪兄誰膺. 嗚呼. 日月流邁. 卽遠有期. 親

朋畢至. 曾深摧悲. 緘辭以侑. 兄其聽否. 嗚呼已矣. 但有淚溝. 庶幾來格. 鑑我哀疚.

嗚呼哀哉. 尙饗.


# 그대는 사라지고 밤만 깊어가네

祭李永興文

**신 흠 |《상촌집》권30 | 번역문 | 245페이지**


維年月日. 東陽申欽. 謹以庶豆淸酤. 奠于志范翁柩所. 哭且告之曰.

士有曠百世而心相求者矣. 亦有千里誦義. 而比歿身不得合者矣. 若吾與公. 可謂幸矣. 生同時也. 又同家也. 記吾遇於淸江公之門也. 公年二十有二. 吾纔十五. 吾年雖稚幼無所知識. 而尙能知公爲樂善好義. 不汶汶於世也. 自遇公至哭公. 蓋二十八年矣. 吾之瞯公亦多矣.

在內無疑行. 在外無無疑事. 世以嫻飾爲工. 而公則剗去綵續. 世以脂韋爲賢. 而公則獨持磊砢. 世方趨營而公則墨守. 世貴權力而公則屣脫. 其表如裏. 其達如窮. 昧者挹其輝. 枯者沃其液. 而公之取予然諾. 不易於布素之始. 吾於是益知公樂善好義之無斁也. 於父母則孝. 於兄弟則友. 於宗黨則睦. 敦彝則而篤天倫者. 有古人所難行者. 而行之裕如. 卽公之爲. 其不可以壽且祚. 而今顧敧撼挫阨莫之遂耶. 豈理有互敗. 數有靡恒. 猝然而得. 欻然而失. 茫焉闖焉. 而所謂天者無所尸宰於其間耶.

吾羸而弱. 公壯而盛. 公常虞我之不能久視. 而吾亦不虞公之溘先於吾也. 吾

旣才劣位盈. 無意於世. 而公且已厭銅符矣. 每相聚. 必以此相語曰. 早晚得一廛
以去. 東阡南陌. 杖屨來往. 則庶不負吾輩契託之志. 今而思之. 曷不肝蝕而腸裂
也耶.

世之說者曰. 何論愚智. 顯貴者爲高. 何論善惡. 壽考者爲福. 若世所稱. 是耶非
耶. 君子修其在我. 則在彼者或不可必也. 公固何憾也哉.

於乎. 公之結衾蓋棺. 忍踰月矣. 顧而之貌. 森乎立吾前也. 恢而之談. 恍乎入吾耳
也. 嗟嗟悲夫. 妻絰矣子衰矣. 婢僕擗踊於下矣. 賓友號呼於位矣. 而公迺不興不
寤. 公其不復作矣. 吾將安所恃矣. 上堂而無與晤矣. 出門而無可適矣. 嗟嗟悲夫.

人生宇宙. 一泡幻爾. 孰脩孰短. 孰眞孰假. 孰虛孰實. 孰有孰無. 倘有不待生而
存. 不隨死而亡者. 則吾與公幽明雖隔. 而延陵之劍. 猶可掛於樹枝.

嗚呼痛哉. 公兮歸來. 尙饗.


# 목이 메어 곡소리조차 내기 어렵고
祭金東岡文

정   구 | 《한강집》권12 | 번역문 | 251페이지


東岡先生金公旅櫬. 遠自淸州. 言歸故里. 用將雞酒之奠. 迎哭於路左.

嗚呼哀哉. 公寓西原. 我留木州. 各以病蟄. 願言而不得相奉. 季秋之末. 余迫霜
露之感. 將歸掃先塋而歷訪焉. 靑眼欣然. 一宿晤語. 旣有明年偕返之約. 玩菊賞圃.
共登新齋. 恨不得以時裝就. 笑談雍容. 宛然有十載相從之樂. 見公臞瘦喘促. 而神

宇泰安. 眉目瑩朗. 歷敍舊事. 如道昨日. 心切歡服. 愧非昏鈍所及. 孰謂此一別. 乃遂爲平生之永訣也邪.

余以病不能卽旋. 將留過三冬. 則便中寅書. 請以開歲早還. 以續舊時之遊. 豈書未達而訃先至. 素車丹. 翩翩遠臨. 使我白衣來迎. 而不忍爲之懷也邪. 慘目疚心. 嗚咽難聲. 已矣此生. 其不復玉色金聲之相襲也. 父老咸集. 山川亦悽. 寒天朝旭. 觸目皆悲. 尙何言哉. 尙何言哉. 哀哉哀哉.


# 다시는 인간사에 뜻이 없으니

祭栗谷文

정 철 | 《송강집》권2 | 번역문 | 255페이지


維萬曆十二年歲次甲申三月戊寅朔十六日癸巳. 資憲大夫. 行司憲府大司憲兼同知經筵, 成均館事鄭某. 謹以酒果. 敬奠于吾友卒崇政大夫, 議政府右贊成兼知經筵事, 弘文館大提學, 藝文館大提學, 知春秋館, 成均館事五衛都摠府都摠管栗谷李公之靈.

嗚呼我叔獻. 公與我同年生. 月日差先後. 歲丙辰. 從景魯識公. 當時自楓岳初至京. 若淸水芙蓉. 其高材盛名. 爲一世冠. 而若無有也. 余少且愚. 但謂公是文人中第一. 從遊旣久. 余亦省事. 始知公之爲公也. 獨文乎哉. 淵乎學矣. 學醇而正. 蓋天資近道. 不勞而得也. 晚又硏磨玩索. 積以歲月. 然後學益進. 識益明. 其高大觸. 一帆千里. 先輩亦或不及.

噫. 茲豈易與俗人道哉. 若夫無喜怒. 任死生. 忘得喪榮辱. 不以外物經心. 乃性然也. 疏通敏達. 遇事沛然者. 非子也耶. 愛君如父. 憂國如家. 不以江湖廊廟異其心者. 非子也耶. 忠信待人. 與物無競. 人皆曰君子者. 子之德也. 雖曠度弘量. 無物不容. 與惡人對. 不借辭色者. 子之介也.

噫. 朝議携貳. 水激火烈. 公於此時. 務欲調劑. 寧累變其說. 而不欲失士望債國事. 其志悲矣. 卒亦媒此遭讒. 幾陷不測. 天日照臨. 既去而還. 方隆聖眷. 正騁遐步. 樑忽摧矣. 生若有期. 死若有奪.

噫. 天不欲祚末耶. 罷精憊心. 不遺餘力. 死於國事. 古亦無比. 死之日. 都之人奔走悲號者. 皆不識公面. 何以得此. 愛公者多. 而亦有不愛公者. 傷公者衆. 而亦有不傷公者. 於公何損. 如吾無狀. 有何可稱. 公獨饒我. 于今三十年. 由吾狷狹激惱. 可絶交者何限. 而終不失舊義. 末復爛漫同歸. 公實賢矣. 噫. 謀國掄材. 俱收鄙劣. 匪曰能之. 願學焉. 庶以共濟時艱. 公忽棄我而歸. 若無意世道. 何哉. 以浩原學問才識. 尙不能無公而獨運. 顧我空空. 將何以補國萬一.

噫. 公憂時一念. 至死不衰. 將屬纊. 執我手丁寧. 無非國事. 死亦團結. 此氣不散. 爲祥雲甘霖. 釀得豐年. 使吾民含哺鼓腹耶. 爲烈風迅雷. 使魍魅遠遁. 魍魉屏跡耶. 爲麒麟鳳凰. 使諸休並臻. 萬福畢集耶. 爲泰山喬嶽. 鎮我神都. 延曆千百年耶. 公於四者. 必默佑陰相. 決不是庸衆魂氣生而憲爾. 死則飄散如風煙也.

噫. 自我哭公. 忽忽無復人世意. 如一隻孤禽. 形影相弔. 如絲無桐. 如竹無竅. 縱欲彈且吹. 奈無所施何. 吾已矣夫.

噫. 朋友非天合血氣. 何以至此. 西湖水潮矣. 東山月上矣. 蓬萊五色如昨矣. 嗟我叔獻. 何時廻矣. 言盡奠罷. 一聲長號. 尙饗.

# 목이 메어 곡소리조차 내기 어렵고
趙伯玉哀辭

**김일손 | 《탁영집》| 번역문 | 263페이지**

伯玉喪矣. 吾何以爲懷也. 蓋伯玉於吾. 先進也. 長於吾數十年. 初無一日雅. 辛亥夏. 同校讎綱目. 得與處半年. 始許以忘年焉. 交若淺而分益深. 是時. 余爲龍驤司正. 伯玉爲奉常僉正. 蓋有玄都之歎. 吾爲伯玉嘆. 而伯玉又每爲吾嘆.

伯玉. 文學政事俱優. 而義氣幹局. 甚弘且毅. 投之所向. 無不可濟. 亦不可撓. 眞用世之長才也. 後爲執義. 似達矣. 而於伯玉. 未也. 其後. 伯玉. 自靑松奉其父柩. 舟行西下. 余欲擧一帆. 弔於中流. 而候吏不謹. 舟過遠. 而始知夤緣喜違. 又未得修一疏以慰. 思暇日一造其廬問焉. 而又未果. 伯玉方居哀. 必不暇思念. 思念則必怪我矣. 聞其居喪盡禮. 心每鄭重. 未幾. 有人報我云. 見素衣一婢. 哭於伯玉之門外甚悲. 急使人問之. 則伯玉死矣.

嗚呼. 前年. 希仁以毁而滅. 今年. 伯玉以感而亡. 天將何以勸人子之善居喪者哉. 玆非交友之不幸. 乃朝家之不幸. 伯玉無子. 作哀詞以殺余哀. 詞曰.

學不至於大施兮才不見其大採望徒重於一時兮名不垂於千載

吾誰咎乎造物之罪造物不承兮推之眞宰

彼眞宰兮殺人不悔善惡同罰兮勸懲何在善如可贖吾欲往賄

嗟嗟伯玉兮永埋其彩自罹荼毒兮

風樹不待使伯道而無兒兮眞宰之過又倍也.

원저자

## 정약용 · 丁若鏞(1762~1836)

조선 후기의 문신이자 실학자. 성호 이익李瀷의 유고遺稿를 접한 뒤 경세치용經世致用의 학문에 뜻을 두었다. 정조正祖 사후 조정의 주도권이 벽파인 노론에게 넘어가자 1801년(순조 1년) 신유박해辛酉迫害(신유년에 일어난 천주교도 박해사건) 때 경상도 장기로 유배되었다가, 조카사위였던 황사영黃嗣永 백서사건으로 인해 전라도 강진으로 이배되어, 그곳에서 무려 18년 동안 경학經學(유가의 경전을 연구하는 학문)과 저술에 전념하였다. 1818년(순조 18년) 이태순李泰淳의 상소로 마침내 긴 유배에서 풀려나 고향 마재에서 저술 활동을 하며 여생을 보냈다. 저서로 '1표 2서'라 불리는《목민심서牧民心書》《흠흠신서欽欽新書》,《경세유표經世遺表》등이 있으며, 문집으로 유배생활을 빠짐없이 기록한《여유당전서與猶堂全書》가 있다. 자字는 미용美鏞, 호號는 다산茶山·사암俟菴·여유당與猶堂 등등.

**본문 013페이지, 원문 269페이지 | 147페이지, 원문 295페이지**


## 신대우 · 申大羽(1735~1809)

조선 후기의 문신. 양명학자陽明學派(양명학이 세웠던 학설에 기초하여 이룩된 학파로, 주자학파에 대립되는 입장을 취함)이자 강화학파江華學派(조선 후기에 정제두鄭齊斗를 비롯한 양명학자들이 강화도를 중심으로 형성한 학파)로 1784년(정조 8년) 음보蔭補로 선공감역에 기용되어 사도시 주부와 동부도사東部都事 등을 역임했다. 순조純祖 즉위 후 우부승지에 제수되었으며, 총 13번에 걸쳐 승지에 임명되었다. 1804년 가선대부嘉善大夫에 올라 부총관 한성부좌·우윤을 거쳐 1808년에는 호조참판의 자리에 오른 뒤 이듬해 성천에서 죽었다. 저서로《완구유집宛丘遺集》이 있다. 자는 의부儀夫, 호

완구宛丘.

**본문 021페이지, 원문 270페이지**


임윤지당·任允摯堂(1721~1793)

조선 후기 여류 성리학자이자 여류문학 사상 가장 뛰어난 산문가. 함흥판관 적適의 딸로, 조선 성리학의 6대가 중 한 사람인 녹문鹿門 임성주任聖周의 여동생이다. 19세 되던 해 신광유申光裕와 결혼하였으나 8년 만에 사별하였다. 만년에 독서와 저술에 힘쓰다 1793년 원주에서 73세의 나이로 별세하였다. 사후 40여 편의 유고가 수습되었는데 대부분 경전연구와 성리설에 관한 논설 및 선유先儒에 대한 인물 논평이다. 유고는 1796년(정조 20년) 동생 정주靖周와 시동생 신광우申光祐에 의해《윤지당유고允摯堂遺稿》로 편집, 부록과 함께 간행되었다. 호는 윤지당允摯堂.

**본문 025페이지, 원문 271페이지 | 171페이지, 원문 297페이지**


이하곤·李夏坤(1677~1724)

1708년(숙종 34년) 진사에 올라 정7품직인 세마부수洗馬副率에 제수되었으나 나가지 않고 고향으로 내려가 학문과 서화에 힘썼다. 장서가 무려 1만권을 헤아렸다. 성격이 곧아 아첨하기 싫어하고 여행을 좋아하여 전국 방방곡곡을 두루 둘러보았으며, 불교에도 관심을 두어 각 사찰과 암자를 찾아다녔다. 겸재 정선鄭敾, 공재 윤두서尹斗緖 및 당대의 유명한 시인이었던 이병연李秉淵 등과 교유하였다. 문집으로는《두타초頭陀草(전18권)》이 있다. 특히 그의 문집 중

윤두서의 〈자화상〉 및 〈공재화첩〉에 대한 기록, 정선의 여러 그림에 대한 화평, 당대 및 중국의 화가들에 대한 평 등이 있어 평론가로서도 중요한 위치를 차지한다. 자는 재대載大, 호는 담헌澹軒 ·담옹澹翁 ·담암澹庵 등등.

**본문 031페이지, 원문 273페이지**


### 윤선도·尹善道(1587~1671)

조선 중기의 문신이자 시조 작가. 명문가 출신이었지만 정치적으로 소외받던 남인 집안이었던 탓에 파란만장한 삶을 살았다. 성품이 강직하고 시비를 가림에 타협이 없어 자주 유배를 당했다. 1636년 병자호란이 일어나자 임금을 돕기 위해 강화도로 가던 도중 임금이 삼전도에서 청나라에 항복의 예를 갖추었다는 소식을 듣고 되돌아갔다. 이후 다시는 세상을 보지 않을 것이라 작정하고 제주도를 향해 떠나던 중 보길도를 발견하고 원림을 조성한 뒤 은거했다. 1651년(효종 2년) 〈어부사시사漁父四時詞〉를 지었고, 다음해 양주 고산孤山에서 마지막 작품인 〈몽천요夢天謠〉를 지었다. 특히 그가 남긴 시조 75수는 국문학사상 시조의 최고봉이라 일컬어진다. 시문집으로 정조 15년에 왕의 특명으로 발간된 《고산유고孤山遺稿》가 있다. 자는 약이約而, 호는 고산孤山, 해옹海翁 등등.

**본문 039페이지, 원문 275페이지**


### 조  익·趙  翼(1579~1655)

조선 중기의 문신. 음보蔭補로 정포만호井浦萬戶가 된 후 1598년(선조 31년) 압운관押運官으로 미곡 23만 석을 잘 운반하여 표리表裏를 하사받고, 1602년 별시문과에 병과로 급제했다. 여러 벼슬을 거친 뒤 1611년(광해군 3년) 수찬修撰으로 있을 때 이황李滉 등의 문묘종사를 반대한 정인홍鄭仁弘을 탄핵하다 고산도 찰방으로 좌천, 이듬해 사직하였다. 김육金堉의 대동법大同法 시행을 적극 주장하였고, 예학에 밝았으며, 음률·병법·복서에도 능하였다. 저서로《포저집浦渚集》,《서경천설書經淺說》이 있다. 자는 비경飛卿, 호는 포저浦渚·존재存齋.

**본문 047페이지, 원문 276페이지**


### 조위한·趙緯韓(1567~1649)

조선 중기의 문신. 임진왜란 발발 후 김덕령金德齡을 따라 종군하였다. 1601년 사마시를 거쳐 1609년(광해군 1년) 증광문과에 갑과로 급제, 주부主簿 및 감찰 등을 지냈다. 1613년 부원군 김제남金悌男의 무옥誣獄에 연루되어 여러 조신들과 함께 구금되었으나1623년 인조반정仁祖反正으로 다시 등용되어 사성·장령·집의 등에 오르고 호당湖堂에 뽑혔다. 그러나 얼마 후 다시 양양군수로 좌천되었다. 1624년(인조 2년) 이괄李适의 난을 평정하는 데 참여했고, 정묘·병자호란 때에도 출전하였다. 문집으로《현곡집玄谷集》이 있으며, 민생고를 그린《유민탄流民嘆》을 지었다고 하나 전하지 않는다. 자는 지세持世, 호는 현곡玄谷·소옹素翁.

**본문 051페이지, 원문 277페이지**


### 이산해·李山海(1539~1609)

조선 중기의 학자로 북인北人의 영수. 목은 이색李穡의 7대손으로 부친은 현감을 지낸 이지번李之蕃이며, 숙부는《토정비결》로 유명한 이지함李之菡이다. 어려서부터 숙부 이지함에게서 학문을 배웠다. 전하는 말에 의하면, 그의 부친이 산해관山海關에서 그를 잉태하는 태몽을 꾸어 이름을 산해山海라 지었다고 한다. 어려서 글씨에 능했으며 총명함이 명종明宗에게까지 회자되었다고 한다. 문장에 능해 선조조 문장 8가의 한 사람으로 불렸다. 저서로《아계유고鵝溪遺稿》, 글씨에《조정암광조묘비趙靜庵光祖墓碑》등이 있다. 자는 여수汝受, 호는 아계鵝溪·종남수옹終南睡翁 등등.

**본문 055페이지, 원문 279페이지**


### 정　철·鄭　澈(1536~1593)

조선 중기의 문신. 뛰어난 시인으로 더 유명하다. 1545년 을사사화乙巳士禍에 그의 매형 계림군桂林君이 관련되어 어린 시절부터 아버지의 유배지를 따라다녔다. 그 후 1551년(명종 6년) 아버지가 유배에서 풀려나자 온 가족이 고향이자 할아버지의 산소가 있는 전라도 창평昌平으로 이주했다. 그곳에서 당대의 석학이었던 김윤제金允悌, 기대승奇大升 등으로부터 사사하였다. 1589년 정여립 사건이라고 일컬어지는 기축옥사己丑獄死가 일어나자 위관이 되어 이발李潑, 정개청鄭介淸, 정언신鄭彦信 등 수많은 동인을 죽음에 이르게 했다. 이후 동인들의 탄핵을 받아 사직, 강화도 송정촌에서 불우한 말년을 보내다가 죽었다. 저서로 시문집인《송강집松江集》과 시가 작품집인《송강가사松江歌詞》가 있으며, 작품으로 〈관동별곡關東別曲〉,〈사미인곡思美人曲〉,〈속미인곡續美人曲〉,〈성산별곡星山別曲〉등 4편의 가사와 시조 107수가 전한다. 자는 계함季涵, 호는 송강松江.

**본문 061페이지, 원문 280페이지 | 255페이지, 원문 317페이지**

### 양희지·楊熙止(1439~1504)

조선 초기의 문신. 1474년 식년 문과에 병과로 급제하였다. 성종成宗으로부터 희지稀枝라는 이름과 정부貞父라는 자字를 하사받았다. 1498년(연산군 4년) 무오사화 당시 좌부승지로 있다가 충청도 관찰사로 나간 후 곧바로 사퇴하였다. 문장에 뛰어나고 재주가 있었으나 임사홍任士洪, 유자광柳子光 등과 친하고, 임금의 뜻만 맞추려 했다는 비난을 받기도 하였다. 유고집으로《대봉집大峯集》이 있다. 자는 가행可行·정부貞父, 호는 대봉大峰.

**본문 067페이지, 원문 281페이지**

### 강희맹·姜希孟(1424~1483)

조선 초기의 문신으로 문인화의 대가 희안希顔의 동생이자 세종의 이질姨姪(아내 자매의 아들딸). 1447년 별시문과에 급제, 벼슬이 좌찬성左贊成에 이르렀다. 문장과 서화에 모두 뛰어나 도화서圖畵署의 제조提調를 맡기도 하였으며, 남이南怡의 옥사사건을 해결한 공로로 익대공신 3등에 책봉되었다. 문집에《금양잡록衿陽雜錄》,《촌담해이村談解頤》및 할아버지와 아버지, 형 희안의 시를 모아 편찬한《진산세고晉山世稿》가 있다. 이 밖에 서거정이 성종의 명을 받고 편찬한《사숙재집私淑齋集(전17권)》이 전한다. 자는 경순景醇, 호는 사숙재私淑齋.

**본문 071페이지, 원문 282페이지 | 137페이지, 원문 293페이지**

### 김정희·金正喜(1786~1856)

조선 후기의 서화가·문인·금석학자. 1819년(순조 19년) 문과에 급제하여 성균관 대사성과 이조참판 등을 역임하였다. 학문에서는 실사구시實事求是를 주장하였고, 서예에서는 독특한 추사체를 완성하였다. 1840년(헌종 6년) 윤상도尹尙度의 옥사에 연루되어 제주도로 유배되어 위리안치 되는 형벌을 받았다. 1848년 풀려났지만 3년 뒤인 1851년(철종 2년) 헌종의 묘천 문제로 다시 북청으로 귀양 갔다가 이듬해 풀려났다. 이후 과천에 은거하며 학예學藝와 선리禪理에 몰두하다가 생을 마쳤다. 문집에《완당집阮堂集》, 저서에《금석과안록金石過眼錄》《완당척독阮堂尺牘》등이 있으며, 작품에《묵죽도墨竹圖》와《묵란도墨蘭圖》등이 있다. 자는 원춘元春, 호는 추사秋史·완당阮堂 등 503여 개에 이른다.

**본문 081페이지, 원문 283페이지**

심노숭·沈魯崇(1762~1837)

조선 후기의 문인. 1790년 진사가 되었으나 1801년부터 6년간 경상도 기장에 유배되는 등 정치적 격랑 속에 불우한 시기를 보냈다. 해배된 후 줄곧 벼슬 없이 지내다가 50대 중반에야 음직으로 현감, 군수 등을 역임하였다. 문집으로《효전산고孝田散稿》가 있으며, 야사집《대동패림大東稗林》을 편찬하였다. 자는 태등泰登, 호는 효전孝田.

**본문 087페이지, 원문 284페이지**

혜경궁 홍씨·惠慶宮 洪氏(1735~1815)

사도세자의 비妃로 영의정 홍봉한의 딸이자 정조의 어머니이다. 1744년(영조 20년) 세자빈에 책봉되었으며, 1762년 남편 사도세자가 뒤주 속에서 비참하게 죽은 뒤 혜빈惠嬪의 호를 받았다. 1776년 아들 정조가 즉위하자 궁호가 혜경惠慶으로 올랐고, 1799년 사도세자가 장조莊祖로 추존됨에 따라 경의왕후敬懿王后로 추존되었다. 저서로 궁중문학의 효시로 평가받고 있는《한중록閑中錄》이 있다.

**본문 095페이지**

### 안정복 · 安鼎福(1712~1791)

조선 후기의 실학자. 746년 이익의 문하에 들어가면서 학문의 목표를 경세치용에 두고 이를 위해 전력을 기울였다. 참신한 개혁사상을 요구하는 시대적인 요청에 부응하기보다는 전통적인 질서를 고수하려는 근기남인近畿南人 가운데 가장 보수적인 입장에 선 인물이었다. 저서로 기자조선에서부터 고려 말까지의 역사를 서술한《동사강목東史綱目》과《하학지남下學指南》,《열조통기列朝通紀》등이 있다. 특히《동사강목》은 박은식朴殷植, 장지연張志淵, 신채호申采浩 등 근대 민족사학자와 문헌사학자들에게 많은 영향을 주었다. 자는 백순百順, 호는 순암順菴.

**본문 099페이지, 원문 284페이지 | 231페이지, 원문 312페이지**

### 송시열 · 宋時烈(1607~1689)

조선 후기 노론의 중심인물이자 주자학의 대가로 율곡 이이의 학통을 계승하여 기호학파畿湖學派의 주류를 이루었다. 1674년 예송논쟁禮訟論爭(현종과 숙종 당시 자의대비와 인선왕후가 죽자 복상 기간을 어떻게 할 것인가를 두고 남인과 서인이 대립한 사건) 당시 서인들이 패배하자 파직, 삭출되었다. 청주 화양동에서 은거하던 중 1689년(숙종 15년) 장희빈의 아들 세자 책봉에 반대하는 상소를 올려 제주도

로 유배되었으며 국문을 받으러 서울로 올라오는 도중 사사賜死되었다. 저서로
《송자대전宋子大全》과《우암집尤庵集》등이 있다. 자는 영보英甫, 호는 우암尤菴·
우재尤齋 등등.

**본문 107페이지, 원문 286페이지 | 241페이지, 원문 314페이지**


### 이시발·李詩發(1569~1626)

조선 중기의 문신. 임진왜란 발발 후 도체찰사都體察使였던 류성룡柳成龍을 도
와 왜군을 무찔렀다. 1596년 이몽학李夢鶴의 난을 토벌하는데 전공을 세워 장악
원정掌樂院正으로 승진한 후 인목대비 폐모론을 반대했다가 양사의 탄핵을 받아
사직하였다. 인조반정 후 이괄李适의 난을 평정하는 데 공을 세우고 삼남도 검찰
사가 되어 남한산성의 역사를 감독하다 세상을 떠났다. 저서로《주변록籌邊錄》
과《벽오유고碧梧遺稿》가 있다. 자는 양구養久, 호는 벽오碧梧·후영어은後潁漁隱.

**본문 113페이지, 원문 287페이지**


### 허　균·許　均(1569~1618)

조선 중기의 문신이자 최초의 한글소설인《홍길동전洪吉童傳》의 저자. 누이 난
설헌蘭雪軒과 함께 형 허봉許篈의 친구였던 이달李達에게서 시를 배웠다. 1597년
문과에 급제한 후 여러 벼슬을 거쳐 좌참찬左參贊에 올랐으나 관직생활을 세 번
이나 파직 당하는 파란을 겪었다. 1618년(광해군 10년) 하인준河仁俊, 김개金闓, 김
우성金宇成 등과 반란을 계획한 것이 탄로나 가산이 적몰籍沒되고 참형되었다. 당
대 제일의 문장가였으며, 시·비평에도 안목이 높아《국조시산國朝詩刪》등의 시

선집을 편찬하고,《성수시화惺叟詩話》등의 비평작품을 쓰기도 했다. 작품으로
《성소부부고惺所覆瓿藁》,《교산시화蛟山詩話》,《학산초담鶴山樵談》등이 있다. 자는
단보端甫, 호는 교산蛟山·학산鶴山·성소惺所 등등.

**본문 119페이지, 원문 289페이지**


### 권문해·權文海(1534~1591)

조선 중기의 학자로 퇴계退溪 이황李滉의 문하에서 배우고 유성룡, 김성일金誠一
등과 친교를 맺었다. 1560년(명종 15년) 별시문과 병과에 급제한 뒤 좌부승지 관
찰사를 지낸 후 1591년에 사간司諫이 되었다. 저서로 중국 원元나라 음시부陰時夫
의《운부군옥韻府群玉》을 본떠 지은 우리나라 최초의 백과사전인《대동운부군옥
大東韻府群玉》과 1580년~1591년의 11년 동안 사대부들의 일상생활에서 국정에 이
르기까지 주변의 일들을 세세히 기록한《초간일기草澗日記(보물 제879호)》등이 있
다. 자는 호원灝元, 호는 초간草澗.

**본문 125페이지, 원문 291페이지**


### 김종직·金宗直(1431~1492)

조선 전기의 성리학자이자 영남학파의 종조宗祖. 생전에 지은 조의제문弔義帝
文(수양대군(세조)의 왕위 찬탈을 풍자한 글)이 문제가 되어 1498년(연산군 4년) 무오사화
가 발생, 부관참시 당하고, 많은 제자가 목숨을 잃었다. 그러나 중종中宗 즉위 후
사림파가 다시 정권을 잡게 되자 신원이 회복되었으며, 숙종肅宗 재위시 영의정에
추증되었다. 절의를 중요시하여 도학道學의 정맥을 이어가는 데 중추적인 역할

을 하였다. 문집에《점필재집佔畢齋集》, 저서에《유두유록流頭遊錄》,《청구풍아靑丘風雅》,《당후일기堂後日記》등이 있다. 자는 계온季昷·효관孝盥, 호는 점필재佔畢齋.

**본문 131페이지, 원문 292페이지**

### 변계량 · 卞季良(1369~1430)

고려 말, 조선 초기의 문신. 정도전鄭道傳, 권근權近으로 이어지는 관인문학의 대표적인 인물이다. 1420년(세종 2년) 집현전이 설치된 뒤 20년간 대제학을 맡아 외교문서를 작성하였으며, 과거의 시관으로서 관리를 뽑는 일에 공정을 기하여 고려 말의 폐단을 개혁하였다.《태조실록太祖實錄》편찬,《고려사高麗史》개수改修 등에 참여하였고, 시문에도 능해 문묘와 기자묘 비문, 낙천정기樂天亭記, 헌릉지문獻陵誌文 등을 썼다.《청구영언靑丘永言》에 시조 2수가 전한다. 문집에《춘정집春亭集》이 있다. 자는 거경巨卿, 호는 춘정春亭.

**본문 141페이지, 원문 294페이지**

### 정　조 · 正　祖(1752~1800)

조선 제22대 왕(재위기간 1777~1800). 장헌세자莊獻世子莊祖(사도세자)와 혜경궁 홍씨의 아들이며, 비妃는 청원부원군 김시묵金時默의 딸로 효의왕후孝懿王后 김씨이다. 1759년(영조 35) 세손에 책봉되었으며, 1762년 아버지가 비극적인 죽음을 당한 뒤 효장세자孝章世子(진종)의 후사가 되었다. 즉위 후 홍국영洪國榮을 중용하여, 자신의 아버지를 죽이게 하고 자신의 즉위를 끈질기게 방해했던 노론 벽파 일당을 축출함으로써 친정체제를 구축하였다. 영조의 기본정책인 탕평책蕩平

策을 계승하고, 정약용, 이가환李家煥, 박제가朴齊家 등의 실학파와 북학파의 장점을 수용하고 학풍을 특색 있게 장려하여 문운文運을 진작하였으며, 서얼庶孼을 등용하고 위항문학委巷文學(조선 선조 때부터 시작된 중인·서얼·서리 출신의 하급 관리와 평민들에 의하여 이루어진 문학)을 적극 지원하였다. 또 규장각奎章閣을 설치, 문형文衡의 상징적인 존재로 삼고 본격적인 문화정치를 추진하여 문화의 황금기를 이루었다. 저서로《홍재전서弘齋全書》가 있다. 능은 수원 화산花山의 건릉健陵이다.

**본문 155페이지, 원문 295페이지**


이덕무·李德懋(1741~1793)

조선 후기의 실학자. 정조가 규장을 설치하여 검서관檢書官을 등용할 때 박제가, 유득공柳得恭, 서이수徐理修와 함께 뽑혀《국조보감國朝寶鑑》,《대전통편大典通編》,《송사전宋史筌》등의 편찬 교감에 참여했다. 서얼 출신으로 빈한한 환경에서 자랐으나 시문에 능하고 박람강기博覽强記하여 젊어서부터 이름을 떨쳤으며, 청淸의 고증학을 수용하여 북학北學을 일으키는 데 크게 공헌하였다. 저서로《아정유고雅亭遺稿》등의 문집과 함께 아들 광규光葵에 의해 정리된《청장관전서靑莊館全書(전 71권 33책)》가 있다. 자는 무관懋官, 호는 형암炯庵·아정雅亭·청장관靑莊館 등등.

**본문 159페이지 | 213페이지, 원문 306페이지**


박지원·朴趾源(1737~1805)

조선 후기의 문신이자 실학자. 이용후생利用厚生의 실학을 강조하였으며, 자유롭고 기발한 문체를 구사하여 여러 편의 한문소설을 발표하였다. 이에 정조로부터 문체를 타락시켰다는 평가 함께 문체반정의 당사자로 지목되기도 했다. 배청 의식이 강하게 작용하던 시기에 홍대용, 박제가 등과 함께 북학론을 전개하였으며, 중상주의를 주장하였다. 저서로 《연암집燕巖集》,《과농소초課農小抄》,《한민명전의限民名田義》 등이 있으며, 작품에 〈허생전許生傳〉, 〈호질虎叱〉, 〈예덕선생전穢德先生傳〉, 〈양반전兩班傳〉 등이 있다. 자는 중미仲美, 호는 연암燕巖, 연상煙湘 등등.

**본문 165페이지, 원문 296페이지 │ 219페이지, 원문 307페이지**


김수항·金壽恒(1629~1689)

조선 중기의 문신. 서인의 중진이었으나 1682년 김익훈金益勳의 처벌을 놓고 노론과 소론으로 갈리자 노론의 영수가 되었다. 효종, 현종顯宗조에 대사간, 이조참판 등의 벼슬을 지냈으며, 제2차 예송 논쟁에서 남인이 주장한 기년설이 채택되자 벼슬에서 물러나 낙향하였다. 숙종 때 영의정이 되었지만 1689년 기사환국己巳換局으로 남인이 재집권하자 진도에 유배되었다가 사사되었다. 김창집金昌集을 비롯해 '육창六昌(창집·창협·창흡·창업·창즙·창립)'이라 불리는 여섯 아들을 두었다. 저서로 《문곡집文谷集》이 있다. 자는 구지久之, 호는 문곡文谷.

**본문 179페이지, 원문 300페이지**


허  목·許  穆(1595~1682)

조선 중기의 문신. 그림과 글씨, 문장에 능해 '학學·문文·서書의 3고'로 불렸다. 특히 전서篆書에서는 '동방 제1인자'라는 찬사를 받았다. 1660년 효종 사후 송시열과 예송논쟁을 벌여 반목이 시작된 후 2차 논쟁에서 이겨 이조참판과 우의정에 올랐다. 그러나 거듭된 당파싸움의 와중에 1680년 삭탈관직 당한 후 고향 연천에서 은거하다 세상을 떠났다. 저서로 《기언記言》과 역사서인 《동사東事》를 비롯하여 예서禮書인 《경례유찬經禮類纂》, 《방국왕조례邦國王朝禮》 등이 있다. 자는 문보文甫, 호는 미수眉叟.

**본문 185페이지, 원문 302페이지**


### 신 흠·申 欽(1566~1628)

조선 중기의 문신. 동인의 배척을 받았으나 선조宣祖로부터 큰 신망을 받았다. 뛰어난 문장력으로 대명 외교문서의 제작, 시문의 정리, 각종 의례문서 제작에 참여하였다. 정주程朱학자로 이름이 높아, 이정구李廷龜, 장유張維, 이식李植과 함께 한문학의 태두로 일컬어진다. 1651년(효종 2년)에 인조 묘정에 배향되었다. 저서로 《상촌집象村集》, 《야언野言》, 《현헌선생화도시玄軒先生和陶詩》 등이 있다. 자는 경숙敬叔, 호는 상촌象村·현옹玄翁 등등.

**본문 189페이지, 원문 303페이지 | 245페이지, 원문 315페이지**


### 기대승·奇大升(1527~1572)

조선 중기의 성리학자. 어려서부터 재주가 특출하여 일찍 이름을 떨쳤으며 독학으로 고금에 통달했다. 32세에 이황李滉의 제자가 되었는데 12년 동안 서한을 주고받으면서 8년에 걸쳐 사단칠정四端七情을 주제로 논란을 펼쳤다. 저서로 《고봉집高峰集》, 《논사록論思錄》 등이 있다. 자는 명언明彦, 호는 고봉高峯·존재存齋.

**본문 193페이지, 원문 304페이지**

김일손 · 金馹孫(1464~1498)

조선 초기의 문신. 현실 대응 자세가 매우 과감하고 진취적이었다. 17세까지 할아버지 극일克─로부터 글을 배웠으며, 이후 김종직의 문하에 들어가 평생 사사했다. 성종 때 춘추관의 사관으로서 전라도 관찰사 이극돈李克墩의 비행을 직필하여 원한을 샀다. 그 후 1498년(연산군 4년) 〈성종실록〉을 편찬할 때 스승 김종직이 쓴 〈조의제문弔義帝文〉을 사초史草에 실은 것이 알려져 훈구파가 일으킨 무오사화 때 죽임을 당하였다. 이때 많은 사류士類가 그와 함께 화를 입었다. 저서로 《탁영집濯纓集》이 있으며, 〈회로당기會老堂記〉, 〈속두류록續頭流錄〉 등 26편이 《속동문선續東文選》에 전한다. 자는 계운季雲, 호는 탁영濯纓 · 소미산인少微山人.

**본문 199페이지, 원문 304페이지 | 263페이지, 원문 319페이지**


이재성 · 李在性(1751~1809)

계양군桂陽君 이증李增(세종의 둘째 아들)의 후손으로 연암 박지원의 처남이자 평생지기였으며 이서구, 이덕무, 박제가 등과도 절친해 북학파의 일원으로 볼 수 있었다. 노년에 진사 급제 후 능참봉을 지냈을 뿐 평생 벼슬과는 거리가 먼 삶을 살았다. 문집으로 《지계집芝溪集(전 7권)》이 있으나 전하지 않는다. 자는 중존仲存, 호는 지계芝溪.

**본문 209페이지**


홍대용 · 洪大容(1731~1783)

조선 후기의 실학자이자 과학사상가. 북학파의 선구자로 일찍이 미호渼湖 김원행金元行에게 학문을 배웠다. 북학과 계열의 실학자인 박지원, 박제가, 이덕무, 유득공 등과 친분이 깊었다. 1765년(영조 41년) 서장관인 작은아버지 억檍의 수행관으로 북경을 방문, 중국학자 및 독일계 선교사들을 만나 서양문물에 대한 견문을 넓혔다. 유학보다 군국軍國과 경제에 관심이 많았으며, 신흥 상공인의 입장에서 사회를 개혁하고자 했다. 조선 최고의 과학사상가로 수학의 원리 적용, 천문, 측량 도구 등에 관한 해설을 담은 《주해수용籌解需用》을 저술하였으며, 천체·기상 해설서인 《의산문답醫山問答》을 통해 지구의 자전을 주장하기도 했다. 저서로 《담헌서湛軒書》를 비롯해 편서編書에 《건정필담乾淨筆談》, 《담헌연기湛軒燕記》, 《임하경륜林下經綸》 등이 있다. 자는 덕보德保, 호는 홍지弘之·담헌湛軒.

**본문 225페이지, 원문 309페이지**


이  익·李  瀷(1681~1763)

조선 후기의 실학자. 형 이잠李潛이 당쟁으로 희생된 후 관직을 사양하고 학문연구 및 후학 교육에 전념하였다. 미수 허목과 아버지 이하진李夏鎭, 반계磻溪 유형원柳馨遠 등을 사숙하였고, 이후 학문적으로 일가를 이루어 근기남인近畿南人(경세치용의 학풍을 특색으로 하는 근기近畿 지방의 남인 학파)최대 학파인 성호학파를 형성하였다. 안정복, 윤동규尹東奎, 신후담愼後聃, 이중환李重煥 등을 배출하였고, 그의 학통은 채제공蔡濟恭, 정약용, 이가환李家煥, 이현일李玄逸 등으로 이어졌다. 저서로 《성호사설星湖僿說》, 《곽우록藿憂錄》 등이 있다. 자는 자신子新, 호는 성호星湖.

**본문 237페이지, 원문 313페이지**

정　구·鄭　逑(1543~1620)

　　조선 중기의 학자이자 문신. 종이모부이자 남명 조식曺植의 수제자였던 오건吳
健으로부터《주역周易》을 배우고 이황과 조식에게서 성리학을 배웠다. 경학을 비
롯하여 산수부터 풍수에 이르기까지 정통하였고, 특히 예학에 밝았으며, 당대의
명문장가로서 글씨에도 뛰어났다. 학맥은 남명 조식의 문하로 분류되나 정치적
입장에서는 퇴계 이황의 문인으로 분류된다. 문집에《한강집寒岡集》이 있고, 편저
로《성현풍聖賢風》《태극문변太極問辨》등이 있다. 자는 도가道可, 호는 한강寒岡.

**본문 251페이지, 원문 316페이지**

참조문헌

강항,《수은간양록》, 영광문화원, 2001

고정욱 엮음,《우리 옛 산문의 풍경》, 자우출판사, 2001

권문해,《초간일기》, 한국정신문화연구원, 1997

기대승,《국역 고봉집》1~3권, 민족문화추진회, 1989

김명호,《열화일기 연구》, 창비, 1990

김성규,《초정집》1~3권, 한국인문과학원, 1990

김시습,《국역 매월당집》, 세종대왕기념사업회, 1978

김인후,《국역 하서전집》상·중·하, 하서선생기념사업회, 1987

김정희 저, 선종순 편,《국역 완당전집》, 민족문화추진회, 1996

김종직,《국역 점필재집》, 민족문화추진회, 1996

김지용 편저,《한국역대여류한시문선》상·하, 아세아문화사, 1992

김진영,《이규보 문학연구》, 집문당, 1984

박제가 저, 이우성 편,《초정전서》상·하, 아세아문화사, 1992

박종채 저, 박희병 역,《나의 아버지 박지원》, 돌베개, 1998

박종채 저, 〈과정록〉,《한국한문학연구》6~7권, 민족문화사, 1982~1983

박지원 저, 김혈조 역,《그렇다면 도로 눈을 감고 가시오》, 학고재, 1997

박지원 저, 윤재영 역,《열하일기》1~5권, 박영사, 1983

박지원 저,《연암집》, 경인문화사, 1974

변계량 저, 김흥여·조동영 공역,《국역 춘정집》, 민족문화추진회, 2001

서거정 등 저,《국역 동문선》, 민족문화추진회, 1968~1970

서경덕,《국역 화담집》, 고려대 민족문화연구소, 1971

성현 등 저,《대동야승》, 민족문화추진회, 1977

성현 저, 이종묵 역,《부휴자전》, 홍익출판사, 2002

신대우,《완구유집》, 민족문화추진회, 2000

신흠,《상촌선생전집》, 민족문화추진회, 1990

심경호,《한문문체론》, 이회문화사, 1995

심경호,《한문 산문의 내면 풍경》, 소명출판, 2002

심경호,《한문 산문의 미학》, 고려대학교 출판부, 1998

안순태,〈현곡 조위한의 삶과 문학〉,《한국한시작가연구》8권, 태학사, 2003

안정복,《국역 순암집》, 민족문학추진회, 1997

양희지,《대봉집》, 경인문화사, 1987

왕성순,《국역 여한십가문초》, 민족문화추진회, 1997

우정상 등 저,《한국의 인간상》, 신구문화사, 1965

유몽인 저, 박명희 역,《어우야담》, 전통문화연구회, 2001

유재일 저,《이덕무의 시문학 연구》, 태학사, 1998

유홍준,《완당평전》1권, 학고재, 2002

윤선도 저, 이형대 외 역,《국역 고산유고》, 소명출판, 2001

의천,《대각국사문집》, 정선문화연구원, 1989

이가원,《연암집, 연암소설연구》, 을유문화사, 1965

이덕무,《국역 청장관전서》, 민족문화추진회, 1979~1981

이덕일,《정약용과 그의 형제들》1~2권, 김영사, 2004

이색,《국역 목은집》, 민족문화추진회, 2000

이서구, 《척재집》, 민족문화사, 1980

이수광 저, 남만성 역, 《지봉유설》 상·하, 을유문화사, 1994

이순신 저, 허경진 역, 《난중일기》, 한양출판, 1997

이영춘, 《임윤지당》, 혜안, 1998

이우성 편, 《사숙재집》, 아세아문화사, 1992

이월영 역주, 《삼의당 김부인 유고》, 신아출판사, 2004

이이, 《율곡전서》 1~2권, 성균관대 대동문화연구원, 1978

이익, 《국역 성호사설》, 민족문화추진회, 1977

이항복 저, 임정기 역, 《국역 백사집》 1~3권, 민족문화추진회, 1998~1999

임윤지당 저, 이영춘 역, 《임윤지당》, 혜안, 1998

장유, 《국역 계곡집》, 민족문화추진회, 1994

정구, 《국역 한강집》, 민족문화추진회, 2001

정도전, 《국역 삼봉집》, 민족문화추진회, 1977

정몽주, 《국역 포은집》, 대양서적, 1982

정민, 《비슷한 것은 가짜다》, 태학사, 2000

정약용 저, 다산학회 편, 《여유당전서》 1~3권, 경인문화사, 1974

정약용 저, 박석무 역, 《유배지에서 보낸 편지》, 창비, 1991

정운한, 《국역 송강집》 상·하, 삼인출판사, 1974

정일남, 《초정 박제가 연구》, 지식산업사, 2004

정조, 《홍재전서》, 문화재관리국 장서각, 1978

정진권, 《고전 산문을 읽는 즐거움》, 학지사, 2002

정철,《송강집》, 송강유적보존회, 1988

조동일,《한국문학통사》3권, 지식산업사, 1991

조면희,《우리 옛글 백 가지》, 현암사, 1997

조식,《국역 남명집》, 경상대 남명학연구소, 1995

조우식,《정도전을 위한 변명》, 푸른역사, 1997

조위한,《현곡선생문집》, 경인문화사, 1986

조익,《포저전집》, 보경문화사, 1989

진필상 저, 심경호 역,《한문문체론》, 이화문화사, 2001

최명희,《혼불》6권, 한길사, 1996

허균,《국역 성소부부고》, 민족문화추진회, 1986

허난설헌,《난설헌집》, 평민사, 1999

허목,《국역 미수기언》, 민족문화추진회, 1981

허미자,《허난설헌 연구》, 성신여대출판부, 1984

홍대용,《국역 담헌서》상·하, 경인문화사, 1969

KBS〈역사스페셜〉제작팀,《역사스페셜》3권, 효형출판, 2001

홀로 서서 길게 통곡하니

## 홀로 서서 길게 통곡하니

**초판 1쇄 인쇄** 2015년 4월 16일
**초판 1쇄 발행** 2015년 4월 24일

**엮은이** 신정일
**발행인** 임채성
**디자인** 김현미

**펴낸곳** 도서출판 루이앤휴잇
**주소** 서울시 양천구 목동 923-14 드림타워 제10층 1010호
**전 화** 070-4121-6304　　**팩 스** 02)332-6306
**메 일** pacemaker386@gmail.com
**출판등록** 2011년 8월 30일(신고번호 제313 - 2011 - 244호)

ISBN 979-11-86273-01-2　　03910